THOMAS TEL
LI£

due for return c

C000002539

Thomas Telford School

578165

Diese Ausgabe der »Suhrkamp BasisBibliothek – Arbeitstexte für Schule und Studium« bietet nicht nur Bertolt Brechts *Der kaukasische Kreidekreis*, sondern im Anhang auch die Vorläufererzählung »Der Augsburger Kreidekreis« (1940) sowie den Prosatext »Der kaukasische Kreidekreis« (1956). Ergänzt wird diese Edition durch einen Kommentar, der alle für das Verständnis des Buches erforderlichen Informationen enthält: eine Zeittafel, die Entstehungs- und Rezeptionsgeschichte, einen Forschungsüberblick, Literaturhinweise sowie detaillierte Wort- und Sacherläuterungen. Der Kommentar ist entsprechend den neuen Rechtschreibregeln verfasst.

Ana Kugli, geboren 1975, ist wissenschaftliche Autorin und Journalistin. Von 1998 bis 2003 war sie freie Mitarbeiterin an der Arbeitsstelle Bertolt Brecht, Karlsruhe. 2004 promovierte sie mit einer Arbeit zu Brecht. Veröffentlichungen zum Werk Brechts und Heinar Kipphardts (SBB 58).

# Bertolt Brecht
# Der kaukasische Kreidekreis

Mit einem Kommentar
von Ana Kugli

THOMAS TELFORD SCHOOL

578165

ACCESSION No. 44630

AREA OF
LEARNING 430

Suhrkamp

Der vorliegende Text folgt der Ausgabe: Bertolt Brecht, *Werke.*
*Große kommentierte Berliner und Frankfurter Ausgabe.* hg. v.
Werner Hecht, Jan Knopf, Werner Mittenzwei und Klaus-Detlef
Müller. Band 8: *Stücke 8.* Bearbeitet von Klaus-Detlef Müller.
Berlin und Weimar/Frankfurt/M. 1992, S. 93–185.

Textgrundlage des vorliegenden Bandes ist die dritte Fassung
des Stücks *Der kaukasische Kreidekreis* von 1954. Der 1. Akt
der edition-suhrkamp-Ausgabe (»Der Streit um das Tal«)
erscheint hier als »Vorspiel«, entsprechend verschiebt sich
die Nummerierung der anderen Akte. Weiterführende Informationen hierzu finden sich im Abschnitt ›Entstehungs- und
Textgeschichte‹.

10. Auflage 2017

Erste Auflage 2003
Suhrkamp BasisBibliothek 42
Originalausgabe

© Text: Bertolt-Brecht-Erben / Suhrkamp Verlag
© Kommentar: Suhrkamp Verlag Frankfurt am Main 2003
Alle Rechte vorbehalten, insbesondere das der Übersetzung,
des öffentlichen Vortrags, der Verfilmung und Übertragung durch
Rundfunk und Fernsehen, auch einzelner Teile.
Kein Teil des Werkes darf in irgendeiner Form (durch Fotografie,
Mikrofilm oder andere Verfahren) ohne schriftliche Genehmigung des
Verlages reproduziert oder unter Verwendung elektronischer Systeme
verarbeitet, vervielfältigt oder verbreitet werden.

Satz: pagina GmbH, Tübingen
Druck: CPI – Ebner & Spiegel, Ulm
Umschlagabbildung: Konrad Reßler / Münchner Stadtmuseum
Umschlaggestaltung: Regina Göllner und Hermann Michels
Printed in Germany
ISBN 978-3-518-18842-2

# Inhalt

# Der kaukasische Kreidekreis
[Fassung 1954]

Mitarbeiter: Ruth Berlau

»Der kaukasische Kreidekreis« mag als 31. Versuch gelten.
Der Stoff – der Streit zweier Frauen um ein Kind und die
richterliche Maßnahme, die ihn klärt – ist dem alten chinesischen Stück »Der Kreidekreis« entnommen. In dem 5
alten Stück ist es die leibliche Mutter, die darauf verzichtet, das Kind aus dem Kreise zu ziehen. Auch alles übrige ist
in dem neuen Stück anders. – Paul Dessau hat eine Musik
zum »Kaukasischen Kreidekreis« geschrieben.

⌐Personen⌐                                                          10

Georgi Abaschwili, der Gouverneur · Seine Frau Natella ·
Der fette Fürst Kazbeki · Niko Mikadze und Mikha Lolad-
ze, zwei Ärzte · Der Adjutant · Der Sänger · Musiker ·
Simon Chachava, ein Soldat · Grusche Vachnadze, ein Kü-
chenmädchen · Baumeister · Maro, eine Kinderfrau · Der 15
Koch · Ein Stallknecht · Ein alter Mann · Zwei vornehme
Damen · Der Wirt · Der Hausknecht · Der Gefreite · Ein
Bauer und seine Frau · Drei Händler · Lavrenti Vachnadze,
Grusches Bruder · Seine Frau Aniko · Eine Bäuerin, Gru-
sches spätere Schwiegermutter · Deren Sohn Jussup · Der 20
Mönch · Hochzeitsgäste · Michel, Sohn des Gouverneurs ·
Kinder · Der Dorfschreiber Azdak · Polizist Schauwa · Der
Großfürst · Bizergan Kazbeki, Neffe des fetten Fürsten ·
Der Arzt · Der Invalide · Der Hinkende · Der Erpresser ·
Ludowika, Schwiegertochter des Wirts · Der Knecht · Drei 25
Großbauern · Eine alte Bäuerin · Der Bandit · Die Köchin ·
Illo Schuboladze und Sandro Oboladze, zwei Anwälte · Ein
sehr altes Ehepaar · Bettler und Bittsteller · Soldaten · Pan-
zerreiter · Dienstboten · Personen des Vorspiels

⌐Vorspiel⌐

> Zwischen den Trümmern ⌐eines zerschossenen kauka-
> sischen Dorfes⌐ sitzen im Kreis, weintrinkend und rau-
> chend, Mitglieder zweier ⌐Kolchosdörfer⌐, meist Frauen
> und ältere Männer; doch auch einige Soldaten. Bei ihnen
> ist ein Delegierter der staatlichen Wiederaufbaukom-
> mission aus der Hauptstadt.

EINE BÄUERIN LINKS *zeigt:* Dort in den Hügeln haben wir
drei Nazitanks* aufgehalten, aber die Apfelpflanzung
war schon zerstört.

Panzer der Nazis

EIN ALTER BAUER RECHTS Unsere schöne Meierei*: liegt
auch in Trümmern!

Molkerei

EINE JUNGE TRAKTORISTIN Ich habe das Feuer an die Meierei gelegt, Genosse.

*Pause.*

DER DELEGIERTE Hört jetzt das Protokoll: Es erschienen in
⌐Nukha⌐ die Delegierten des Ziegenzuchtkolchos ⌐»Galinsk«⌐. Auf Befehl der Behörden hat der Kolchos, als die
Hitlerarmeen anrückten, seine Ziegenherden weiter
nach Osten getrieben. Er erwägt jetzt die Rücksiede-
lung. Seine Delegierten haben Dorf und Gelände besich-
tigt und einen hohen Grad von Zerstörung festgestellt.
*Die Delegierten rechts nicken.* Der benachbarte Obstbaukolchos ⌐»Rosa Luxemburg«⌐ *nach rechts* stellt den
Antrag, daß das frühere Weideland des Kolchos »Galinsk«, ein Tal mit spärlichem Graswuchs, beim Wie-
deraufbau für Obst- und Weinbau verwertet wird. Als
Delegierter der Wiederaufbaukommission ersuche ich
die beiden Kolchosdörfer, sich selber darüber zu einigen, ob der Kolchos »Galinsk« hierher zurückkehren
soll oder nicht.

DER ALTE BAUER RECHTS Zunächst möchte ich noch einmal gegen die Beschränkung der Redezeit protestieren.

Wir vom Kolchos »Galinsk« sind drei Tage und drei Nächte auf dem Weg hierher gewesen, und jetzt soll es nur eine Diskussion von einem halben Tag sein!

EIN VERWUNDETER SOLDAT LINKS Genosse, wir haben nicht mehr so viele Dörfer und nicht mehr so viele Arbeitshände und nicht mehr soviel Zeit.

DIE JUNGE TRAKTORISTIN LINKS Alle Vergnügungen müssen rationiert werden, der Tabak ist rationiert und der Wein und die Diskussion auch.

DER ALTE RECHTS *seufzend:* Tod den Faschisten! So komme ich zur Sache und erkläre euch also, warum wir unser Tal zurückhaben wollen. Es gibt eine große Menge von Gründen, aber ich will mit einem der einfachsten anfangen. Makinä Abakidze, pack den Ziegenkäse aus. *Eine Bäuerin rechts nimmt aus einem großen Korb einen riesigen, in ein Tuch geschlagenen Käselaib. Beifall und Lachen.*

DER ALTE RECHTS Bedient euch, Genossen, greift zu.

EIN ALTER BAUER LINKS *mißtrauisch:* Ist der als Beeinflussung gedacht?

DER ALTE RECHTS *unter Gelächter:* Wie soll der als Beeinflussung gedacht sein, Surab, du Talräuber. Man weiß, daß du den Käse nehmen wirst und das Tal auch. *Gelächter.* Alles, was ich von dir verlange, ist eine ehrliche Antwort: Schmeckt dir dieser Käse?

DER ALTE LINKS Die Antwort ist: Ja.

DER ALTE RECHTS So. *Bitter.* Ich hätte es mir denken können, daß du nichts von Käse verstehst.

DER ALTE LINKS Warum nicht? Wenn ich dir sage, er schmeckt mir.

DER ALTE RECHTS Weil er dir nicht schmecken kann. Weil er nicht ist, was er war in den alten Tagen. Und warum ist er nicht mehr so? Weil unseren Ziegen das neue Gras nicht so schmeckt, wie ihnen das alte geschmeckt hat. Käse ist nicht Käse, weil Gras nicht Gras ist, das ist es. Bitte, das zu Protokoll zu nehmen.

DER ALTE LINKS  Aber euer Käse ist ausgezeichnet.

DER ALTE RECHTS  Er ist nicht ausgezeichnet, kaum mittelmäßig. Das neue Weideland ist nichts, was immer die Jungen sagen. Ich sage, man kann nicht leben dort. Es riecht nicht einmal richtig nach Morgen dort am Morgen.

*Einige lachen.*

DER DELEGIERTE  Ärgere dich nicht, daß sie lachen, sie verstehen dich doch. Genossen, warum liebt man die Heimat? Deswegen: Das Brot schmeckt da besser, der Himmel ist höher, die Luft ist da würziger, die Stimmen schallen da kräftiger, der Boden begeht sich da leichter. Ist es nicht so?

DER ALTE RECHTS  Das Tal hat uns seit jeher gehört.

DER SOLDAT LINKS  Was heißt »seit jeher«? Niemandem gehört nichts seit jeher. Als du jung warst, ⌐hast du selber dir nicht gehört⌐, sondern den Fürsten Kazbeki.

DER ALTE RECHTS  Ist es etwa gleich, was für ein Baum neben dem Haus steht, wo man geboren ist? Oder was für Nachbarn man hat, ist das gleich? Wir wollen zurück, sogar, um euch neben unserm Kolchos zu haben, ihr Talräuber. Jetzt könnt ihr wieder lachen.

DER ALTE LINKS  *lacht:* Warum hörst du dir dann nicht ruhig an, was deine »Nachbarin« Kato Wachtang, unsere Agronomin*, über das Tal zu sagen hat?

EINE BÄUERIN RECHTS  Wir haben noch lang nicht alles gesagt, was wir zu sagen haben über unser Tal. Von den Häusern sind nicht alle zerstört, von der Meierei steht zumindest noch die Grundmauer.

DER DELEGIERTE  Ihr habt einen Anspruch auf Staatshilfe – hier und dort, das wißt ihr. Hier in meiner Tasche habe ich Vorschläge.

DIE BÄUERIN RECHTS  Genosse Sachverständiger, das ist kein Handel hier. Ich kann dir nicht deine Mütze nehmen und dir eine andre hinhalten mit »die ist besser«.

*(griech.-neulat.) Akademisch ausgebildete Landwirtin*

Die andere kann besser sein, aber die deine gefällt dir besser.

DIE JUNGE TRAKTORISTIN Mit einem Stück Land ist es nicht wie mit einer Mütze, nicht in unserm Land, Genossin.

DER DELEGIERTE Werdet nicht zornig. Es ist richtig, wir müssen ein Stück Land eher wie ein Werkzeug ansehen, mit dem man Nützliches herstellt, aber es ist auch richtig, daß wir die Liebe zu einem besonderen Stück Land anerkennen müssen. Was mich betrifft, würde ich gern genauer erfahren, was ihr *zu denen links* mit dem Tal anfangen wollt.

ANDERE Ja, laßt Kato reden.

DER DELEGIERTE Genossin Agronomin!

KATO *steht auf, sie ist in militärischer Uniform:* Genossen, im letzten Winter, als wir als ⌐Partisanen¬ hier in den Hügeln kämpften, haben wir davon gesprochen, wie wir nach der Vertreibung der Deutschen unsere Obstkultur zehnmal so groß wiederaufbauen könnten. Ich habe das Projekt einer Bewässerungsanlage ausgearbeitet. Vermittels eines Staudamms an unserm Bergsee können dreihundert Hektar unfruchtbaren Bodens bewässert werden. Unser Kolchos könnte dann nicht nur mehr Obst, sondern auch Wein anbauen. Aber das Projekt lohnt sich nur, wenn man auch das strittige Tal des Kolchos »Galinsk« einbeziehen könnte. Hier sind die Berechnungen. *Sie überreicht dem Delegierten eine Mappe.*

DER ALTE RECHTS Schreiben Sie ins Protokoll, daß unser Kolchos beabsichtigt, eine neue Pferdezucht aufzumachen.

DIE JUNGE TRAKTORISTIN Genossen, das Projekt ist ausgedacht worden in den Tagen und Nächten, wo wir in den Bergen hausen mußten und oft keine Kugeln mehr für die paar Gewehre hatten. Selbst die Beschaffung des Bleistifts war schwierig.

*Beifall von beiden Seiten.*

DER ALTE RECHTS Unsern Dank den Genossen vom Kolchos »Rosa Luxemburg« und allen, die die Heimat verteidigt haben!

5 *Sie schütteln einander die Hände und umarmen sich.*

DIE BÄUERIN LINKS Unser Gedanke war dabei, daß unsere Soldaten, unsere und eure Männer, in eine noch fruchtbarere Heimat zurückkommen sollten.

DIE JUNGE TRAKTORISTIN Wie ⌐der Dichter Majakowski⌐

10 gesagt hat, »die Heimat des Sowjetvolkes soll auch die Heimat der Vernunft sein«!

*Die Delegierten rechts sind, bis auf den Alten rechts, aufgestanden und studieren mit dem Delegierten die Zeichnungen der Agronomin. Ausrufe wie: »Wieso ist*

15 *die Fallhöhe zweiundzwanzig Meter?« – »Der Felsen hier wird gesprengt!« – »Im Grund brauchen sie nur Zement und Dynamit!« – »Sie zwingen das Wasser, hier herunterzukommen, das ist schlau!«*

EIN SEHR JUNGER ARBEITER RECHTS *zum Alten rechts:* Sie

20 bewässern alle Felder zwischen den Hügeln, schau dir das an, Alleko.

DER ALTE RECHTS Ich werde es mir nicht anschauen. Ich wußte es, daß das Projekt gut sein würde. Ich lasse mir nicht die Pistole auf die Brust setzen.

25 DER DELEGIERTE Aber sie wollen dir nur den Bleistift auf die Brust setzen.

*Gelächter.*

DER ALTE RECHTS *steht düster auf und geht, sich die Zeichnungen zu betrachten:* Diese Talräuber wissen leider zu

30 genau, daß wir Maschinen und Projekten nicht widerstehen können hierzulande.

DIE BÄUERIN RECHTS Alleko Bereschwili, du bist selber der Schlimmste mit neuen Projekten, das ist bekannt.

DER DELEGIERTE Was ist mit meinem Protokoll? Kann ich

35 schreiben, daß ihr bei eurem Kolchos die Abtretung eures alten Tals für dieses Projekt befürworten werdet?

DIE BÄUERIN RECHTS Ich werde sie befürworten. Wie ist es mit dir, Alleko?

DER ALTE RECHTS *über den Zeichnungen*: Ich beantrage, daß ihr uns Kopien von den Zeichnungen mitgebt.

DIE BÄUERIN RECHTS Dann können wir zum Essen gehen. Wenn er erst einmal die Zeichnungen hat und darüber diskutieren kann, ist die Sache erledigt. Ich kenne ihn. Und so ist es mit den andern bei uns.

*Die Delegierten umarmen sich wieder lachend.*

DER ALTE LINKS Es lebe der Kolchos »Galinsk«, und viel Glück zu eurer neuen Pferdezucht!

DIE BÄUERIN LINKS Genossen, es ist geplant, zu Ehren des Besuchs der Delegierten vom Kolchos »Galinsk« und des Sachverständigen ein Theaterstück unter Mitwirkung des Sängers Arkadi Tscheidse aufzuführen, das mit unserer Frage zu tun hat.

*Beifall. Die junge Traktoristin ist weggelaufen, den Sänger zu holen.*

DIE BÄUERIN RECHTS Genossen, euer Stück muß gut sein, wir bezahlen es mit einem Tal.

DIE BÄUERIN LINKS Arkadi Tscheidse kann einundzwanzigtausend Verse.

DER ALTE LINKS Wir haben das Stück unter seiner Leitung einstudiert. Man kann ihn übrigens nur sehr schwer bekommen. Ihr in der Plankommission solltet euch darum kümmern, daß man ihn öfter in den Norden heraufbekommt, Genosse.

DER DELEGIERTE Wir befassen uns eigentlich mehr mit Ökonomie*.

DER ALTE LINKS *lächelnd*: Ihr bringt Ordnung in die Neuverteilung von Weinreben und Traktoren, warum nicht von Gesängen?

*Von der jungen Traktoristin geführt, tritt der Sänger Arkadi Tscheidse, ein stämmiger Mann von einfachem Wesen, in den Kreis. Mit ihm sind vier Musiker mit ihren*

Wirtschaft oder Wirtschaftlichkeit, d. h. vernünftiger Einsatz von etwas

Instrumenten. *Die Künstler werden mit Händeklat-*
*schen begrüßt.*

DIE JUNGE TRAKTORISTIN Das ist der Genosse Sachver-
ständige, Arkadi.

*Der Sänger begrüßt die Umstehenden.*

DIE BÄUERIN RECHTS Es ehrt mich sehr, Ihre Bekanntschaft zu machen. Von Ihren Gesängen habe ich schon
auf der Schulbank gehört.

DER SÄNGER Diesmal ist es ein Stück mit Gesängen, und
fast der ganze Kolchos spielt mit. Wir haben die alten
Masken mitgebracht.

DER ALTE RECHTS Wird es eine der alten Sagen sein?

DER SÄNGER Eine sehr alte. Sie heißt »Der Kreidekreis«
und stammt aus dem Chinesischen. Wir tragen sie freilich in geänderter Form vor. Jura, zeig mal die Masken.

DER ALTE BAUER RECHTS *eine der Masken erkennend:* Ah,
der Fürst Kazbeki!

DER SÄNGER Genossen, es ist eine Ehre für uns, euch nach
einer schwierigen Debatte zu unterhalten. Wir hoffen,
ihr werdet finden, daß die Stimme des alten Dichters
auch im Schatten der Sowjettraktoren klingt. Verschiedene Weine zu mischen, mag falsch sein, aber alte und
neue Weisheit mischen sich ausgezeichnet. Nun, ich hoffe, wir alle bekommen erst zu essen, bevor der Vortrag
beginnt. Das hilft nämlich.

STIMMEN Gewiß. Kommt alle ins Klubhaus.

*Während des Aufbruchs wendet sich der Delegierte an*
*die junge Traktoristin.*

DER DELEGIERTE *zum Sänger:* Wie lange wird die Geschichte dauern, Arkadi? Ich muß noch heute nacht zurück nach ⌐Tiflis⌐.

DER SÄNGER *beiläufig:* Es sind eigentlich zwei Geschichten. Ein paar Stunden.

DER DELEGIERTE *sehr vertraulich:* Könntet ihr es nicht
kürzer machen?

DER SÄNGER  Nein.
*Alle gehen fröhlich zum Essen.*

## Das Hohe Kind

DER SÄNGER  *vor seinen Musikern auf dem Boden sitzend,*   5
*einen schwarzen Umhang aus Schafsleder um die Schul-*
*tern, blättert in einem abgegriffenen Textbüchlein mit*
*Zetteln:*
In alter Zeit, in blutiger Zeit
Herrschte in dieser Stadt, »die Verdammte« genannt   10
Ein Gouverneur mit Namen Georgi Abaschwili.
Er war reich wie der ⌐Krösus¬.
Er hatte eine Frau aus edlem Geschlecht.
Er hatte ein kerngesundes Kind.
Kein andrer Gouverneur in ⌐Grusinien¬ hatte   15
So viele Pferde an seiner Krippe
Und so viele Bettler an seiner Schwelle
So viele Soldaten in seinem Dienste
Und so viele Bittsteller in seinem Hofe.
Wie soll ich euch einen Georgi Abaschwili beschreiben?   20
Er genoß sein Leben.
An einem Ostersonntagmorgen
Begab sich der Gouverneur mit seiner Familie
In die Kirche.
*Aus dem Torbogen eines Palastes quellen Bettler und*   25
*Bittsteller, magere Kinder, Krücken, Bittschriften hoch-*
*haltend. Hinter ihnen zwei Panzersoldaten, dann in*
*kostbarer Tracht die Gouverneursfamilie.*
DIE BETTLER UND BITTSTELLER  Gnade, Euer Gnaden, die
Steuer ist unerschwinglich. – Ich habe mein Bein ⌐im   30
Persischen Krieg¬ eingebüßt, wo kriege ich ... – Mein
Bruder ist unschuldig, Euer Gnaden, ein Mißverständ-

nis. – Er stirbt mir vor Hunger. – Bitte um Befreiung unsres letzten Sohnes aus dem Militärdienst. – Bitte, Euer Gnaden, der Wasserinspektor ist bestochen.

*Ein Diener sammelt die Bittschriften, ein andrer teilt Münzen aus einem Beutel aus. Die Soldaten drängen die Menge zurück, mit schweren Lederpeitschen auf sie einschlagend.*

SOLDAT Zurück. Das Kirchentor freimachen.

*Hinter dem Gouverneurspaar und dem Adjutanten wird aus dem Torbogen das Kind des Gouverneurs in einem prunkvollen Wägelchen gefahren. Die Menge drängt wieder vor, es zu sehen.*

DER SÄNGER *während die Menge zurückgepeitscht wird:*
Zum erstenmal an diesen Ostern sah das Volk den
Erben.
Zwei Doktoren gingen keinen Schritt von dem Hohen
Kind
Augapfel des Gouverneurs.

*Rufe aus der Menge: »Das Kind!« – »Ich kann es nicht sehen, drängt nicht so.« – »Gottes Segen, Euer Gnaden.«*

DER SÄNGER
Selbst der mächtige Fürst Kazbeki
Erwies ihm vor der Kirchentür seine Reverenz*.

*Ein fetter Fürst tritt herzu und begrüßt die Familie.*

DER FETTE FÜRST Fröhliche Ostern, Natella Abaschwili.

*Man hört einen Befehl. Ein Reiter sprengt heran, hält dem Gouverneur eine Rolle mit Papieren entgegen. Auf einen Wink des Gouverneurs begibt sich der Adjutant, ein schöner junger Mann, zu dem Reiter und hält ihn zurück. Es entsteht eine kurze Pause, während der fette Fürst den Reiter mißtrauisch mustert.*

DER FETTE FÜRST Was für ein Tag! Als es gestern nacht regnete, dachte ich schon: trübe Feiertage. Aber heute morgen: ein heiterer Himmel. Ich liebe heitere Himmel,

(lat.) Ehrerbietung

Natella Abaschwili, ein simples Herz. Und der kleine
Michel, ein ganzer Gouverneur, tititi. *Er kitzelt das
Kind.* Fröhliche Ostern, kleiner Michel, tititi.

DIE GOUVERNEURSFRAU Was sagen Sie, Arsen, Georgi hat
sich endlich entschlossen, mit dem Bau des neuen Flü- 5
gels an der Ostseite zu beginnen. Die ganze Vorstadt mit
den elenden Baracken wird abgerissen für den Garten.

DER FETTE FÜRST Das ist eine gute Nachricht nach so vielen schlechten. Was hört man vom Krieg, Bruder Georgi? *Auf die abwinkende Geste des Gouverneurs.* Ein 10
⌐strategischer Rückzug⌐, höre ich? Nun, das sind kleine
Rückschläge, die es immer gibt. Einmal steht es besser,
einmal schlechter. Kriegsglück. Es hat wenig Bedeutung, wie?

DIE GOUVERNEURSFRAU Er hustet! Georgi, hast du ge- 15
hört? *Scharf zu den beiden Ärzten, zwei würdevollen
Männern, die dicht hinter dem Wägelchen stehen:* Er
hustet.

ERSTER ARZT *zum zweiten:* Darf ich Sie daran erinnern,
Niko Mikadze, daß ich gegen das laue Bad war? Ein 20
kleines Versehen bei der Temperierung des Badewassers,
Euer Gnaden.

ZWEITER ARZT *ebenfalls sehr höflich:* Ich kann Ihnen unmöglich beistimmen, Mikha Loladze, die Badewasser-
temperatur ist die von unserm geliebten großen Mishiko 25
Oboladze angegebene. Eher Zugluft in der Nacht, Euer
Gnaden.

DIE GOUVERNEURSFRAU Aber so sehen Sie doch nach ihm.
Er sieht fiebrig aus, Georgi.

ERSTER ARZT *über dem Kind:* Kein Grund zur Beunruhi- 30
gung, Euer Gnaden. Das Badewasser ein bißchen wärmer, und es kommt nicht mehr vor.

ZWEITER ARZT *mit giftigem Blick auf ihn:* Ich werde es
nicht vergessen, lieber Mikha Loladze. Kein Grund zur
Besorgnis, Euer Gnaden. 35

DER FETTE FÜRST Ai, ai, ai, ai! Ich sage immer, meine Leber sticht, dem Doktor fünfzig auf die Fußsohlen. Und das auch nur, weil wir in einem verweichlichten Zeitalter leben; früher hieß es einfach: Kopf ab!

5 DIE GOUVERNEURSFRAU Gehen wir in die Kirche, wahrscheinlich ist es die Zugluft hier.

*Der Zug, bestehend aus der Familie und dem Dienstpersonal, biegt in das Portal einer Kirche ein. Der fette Fürst folgt. Der ⌈Adjutant⌉ tritt aus dem Zug und zeigt*
10 *auf den Reiter.*

DER GOUVERNEUR Nicht vor dem Gottesdienst, Shalva.

DER ADJUTANT *zum Reiter:* Der Gouverneur wünscht nicht, vor dem Gottesdienst mit Berichten behelligt zu werden, besonders wenn sie, wie ich annehme, depri-
15 mierender Natur sind. Laß dir in der Küche etwas zu essen geben, Freund.

*Der Adjutant schließt sich dem Zug an, während der Reiter mit einem Fluch in das Palasttor geht. Ein Soldat kommt aus dem Palast und bleibt im Torbogen stehen.*

20 DER SÄNGER

Die Stadt ist stille.

Auf dem Kirchplatz stolzieren die Tauben.

Ein Soldat der Palastwache

Scherzt mit einem Küchenmädchen
25 Das vom Fluß herauf mit einem Bündel kommt.

*In den Torbogen will eine Magd, unterm Arm ein Bündel aus großen grünen Blättern.*

DER SOLDAT Was, das Fräulein ist nicht in der Kirche, schwänzt den Gottesdienst?

30 GRUSCHE Ich war schon angezogen, da hat für das Osteressen eine Gans gefehlt, und sie haben mich gebeten, daß ich sie hol, ich versteh was von Gänsen.

DER SOLDAT Eine Gans? *Mit gespieltem Mißtrauen.* Die müßt ich erst sehen, diese Gans.

35 *Grusche versteht nicht.*

DER SOLDAT  Man muß vorsichtig sein mit den Frauenzimmern. Da heißt es: »Ich hab nur eine Gans geholt«, und dann war es etwas ganz anderes.

(lat.-franz.)
betont
entschlossen  GRUSCHE  *geht resolut\* auf ihn zu und zeigt ihm die Gans:* Da ist sie. Und wenn es keine Fünfzehnpfund-Gans ist  5
(oberdt.)
gestopft  und sie haben sie nicht mit Mais geschoppt\*, eß ich die Federn.

DER SOLDAT  Eine Königin von einer Gans! Die wird vom Gouverneur selber verspeist werden. Und das Fräulein war also wieder einmal am Fluß?  10

GRUSCHE  Ja, beim Geflügelhof.

DER SOLDAT  Ach so, beim Geflügelhof, unten am Fluß, nicht etwa oben bei den gewissen Weiden?

GRUSCHE  Bei den Weiden bin ich doch nur, wenn ich das ⌈Linnen⌉ wasche.  15

DER SOLDAT  *bedeutungsvoll:* Eben.

GRUSCHE  Eben was?

DER SOLDAT  *zwinkernd:* Eben das.

GRUSCHE  Warum soll ich denn nicht bei den Weiden Linnen waschen?  20

DER SOLDAT  *lacht übertrieben:* »Warum soll ich denn nicht bei den Weiden Linnen waschen?« Das ist gut, wirklich gut.

GRUSCHE  Ich versteh den Herrn Soldat nicht. Was soll da gut sein?  25

DER SOLDAT  *listig:* Wenn manche wüßte, was mancher weiß, würd ihr kalt und würd ihr heiß.

GRUSCHE  Ich weiß nicht, was man über die gewissen Weiden wissen könnte.

gegenüber  DER SOLDAT  Auch nicht, wenn vis-à-vis\* ein Gestrüpp wä-  30
re, von dem aus alles gesehen werden könnte? Alles, was da so geschieht, wenn eine bestimmte Person »Linnen wäscht«!

GRUSCHE  Was geschieht da? Will der Herr Soldat nicht sagen, was er meint, und fertig?  35

DER SOLDAT  Es geschieht etwas, bei dem vielleicht etwas gesehen werden kann.

GRUSCHE  Der Herr Soldat meint doch nicht, daß ich an einem heißen Tag einmal meine Fußzehen ins Wasser stecke, denn sonst ist nichts.

DER SOLDAT  Und mehr. Die Fußzehen und mehr.

GRUSCHE  Was mehr? Den Fuß höchstens.

DER SOLDAT  Den Fuß und ein bißchen mehr. *Er lacht sehr.*

GRUSCHE  *zornig:* Simon Chachava, du solltest dich schämen. Im Gestrüpp sitzen und warten, bis eine Person an einem heißen Tag das Bein in den Fluß gibt. Und wahrscheinlich noch zusammen mit einem andern Soldaten! *Sie läuft weg.*

DER SOLDAT  *ruft ihr nach:* Nicht mit einem andern!

*Wenn der Sänger seine Erzählung wieder aufnimmt, läuft der Soldat Grusche nach.*

DER SÄNGER

Die Stadt liegt stille, aber warum gibt es Bewaffnete?
Der Palast des Gouverneurs liegt friedlich
Aber warum ist er eine Festung?

*Aus dem Portal links tritt schnellen Schrittes der fette Fürst. Er bleibt stehen, sich umzublicken. Vor dem Torbogen rechts warten zwei Panzerreiter*\*. Der Fürst sieht sie und geht langsam an ihnen vorbei, ihnen ein Zeichen machend. Einer geht in den Torbogen, einer ab nach rechts. Man hört gedämpfte Rufe hinten von verschiedenen Seiten »Zur Stelle«: der Palast ist umstellt. Der Fürst geht schnell ab. Von fern Kirchenglocken. Aus dem Portal kommt der Zug mit der Gouverneursfamilie zurück aus der Kirche.*

> Mit einem Brustpanzer geschützter Reiter

DER SÄNGER

Da kehrte der Gouverneur in seinen Palast zurück
Da war die Festung eine Falle
Da war die Gans gerupft und gebraten
Da wurde die Gans nicht mehr gegessen

Da war Mittag nicht mehr die Zeit zum Essen
Da war Mittag die Zeit zum Sterben.

DIE GOUVERNEURSFRAU *im Vorbeigehen:* Es ist wirklich
unmöglich, in dieser Baracke\* zu leben, aber Georgi
baut natürlich nur für seinen kleinen Michel, nicht etwa 5
für mich. Michel ist alles, alles für Michel!

DER GOUVERNEUR Hast du gehört, »Fröhliche Ostern«
von Bruder Kazbeki! Schön und gut, aber es hat meines
Wissens in Nukha nicht geregnet gestern nacht. Wo Bruder Kazbeki war, regnete es. Wo war Bruder Kazbeki? 10

DER ADJUTANT Man muß untersuchen.

DER GOUVERNEUR Ja, sofort. Morgen.

*Der Zug biegt in den Torbogen ein. Der Reiter, der in-
zwischen aus dem Palast zurückgekehrt ist, tritt auf den
Gouverneur zu.* 15

DER ADJUTANT Wollen Sie nicht doch den Reiter aus der
Hauptstadt hören, ⌈Exzellenz⌉? Er ist heute morgen mit
vertraulichen Papieren eingetroffen.

DER GOUVERNEUR *im Weitergehen:* Nicht vor dem Essen,
Shalva! 20

DER ADJUTANT *während der Zug im Palast verschwindet
und nur zwei Panzerreiter der Palastwache am Tor zu-
rückbleiben, zum Reiter:* Der Gouverneur wünscht
nicht, vor dem Essen mit militärischen Berichten behelligt zu werden, und den Nachmittag wird Seine Exzel- 25
lenz Besprechungen mit hervorragenden Baumeistern
widmen, die auch zum Essen eingeladen sind. Hier sind
sie schon. *Drei Herren sind herangetreten. Während der
Reiter abgeht, begrüßt der Adjutant die Baumeister.*
Meine Herren, Seine Exzellenz erwartet Sie zum Essen. 30
Seine ganze Zeit wird nur Ihnen gewidmet sein. Den
großen neuen Plänen! Kommen Sie schnell!

EINER DER BAUMEISTER Wir bewundern es, daß Seine Exzellenz also trotz der beunruhigenden Gerüchte über
eine schlimme Wendung des Krieges in Persien zu bauen 35
gedenkt.

(span.-franz.)
Behelfsmä-
ßige Unter-
kunft, oft aus
Holz

1 Das Hohe Kind

DER ADJUTANT Sagen wir: wegen ihnen! Das ist nichts.
Persien ist weit! Die ⌈Garnison⌉ hier läßt sich für ihren
Gouverneur in Stücke hauen.

*Aus dem Palast kommt Lärm. Ein schriller Aufschrei*
*einer Frau, Kommandorufe. Der Adjutant geht entgei-*
*stert auf den Torbogen zu. Ein Panzerreiter tritt heraus,*
*ihm den Spieß entgegenhaltend.*

DER ADJUTANT Was ist hier los? Tu den Spieß weg, Hund.
*Rasend zu der Palastwache:* Entwaffnen! Seht ihr nicht,
daß ein Anschlag auf den Gouverneur gemacht wird?

*Die angesprochenen Panzerreiter der Palastwache ge-*
*horchen nicht. Sie blicken den Adjutanten kalt und*
*gleichgültig an und folgen auch dem übrigen ohne Teil-*
*nahme. Der Adjutant erkämpft sich den Eingang in den*
*Palast.*

EINER DER BAUMEISTER Die Fürsten! Gestern nacht war in
der Hauptstadt eine Versammlung der Fürsten, die gegen den Großfürsten und seine Gouverneure sind. Meine Herren, wir machen uns besser dünn.

*Sie gehen schnell weg.*

DER SÄNGER

O Blindheit der Großen! Sie wandeln wie Ewige
Groß auf gebeugten Nacken, sicher
Der gemieteten Fäuste, vertrauend
Der Gewalt, die so lang schon gedauert hat.
Aber lang ist nicht ewig.
⌈O Wechsel der Zeiten!⌉ Du Hoffnung des Volks!

*Aus dem Torbogen tritt der Gouverneur, gefesselt, mit*
*grauem Gesicht, zwischen zwei Soldaten, die bis an die*
*Zähne bewaffnet sind.*

Auf immer, großer Herr! Geruhe, aufrecht zu gehen!
Aus deinem Palast folgen dir die Augen vieler Feinde!
Du brauchst keine Baumeister mehr, es genügt ein
                                                    Schreiner.
Du ziehst in keinen neuen Palast mehr, sondern in ein
                                                    kleines Erdloch.

Sieh dich noch einmal um, Blinder!
*Der Verhaftete blickt sich um.*
Gefällt dir, was du hattest? Zwischen ⌈Ostermette⌉ und
                                                      Mahl
Gehst du dahin, von wo keiner zurückkehrt.                    5
*Er wird abgeführt. Die Palastwache schließt sich an. Ein*
*Hornalarmruf wird hörbar. Lärm hinter dem Torbo-*
*gen.*
Wenn das Haus eines Großen zusammenbricht
Werden viele Kleine erschlagen.                              10
Die das Glück der Mächtigen nicht teilten
Teilen oft ihr Unglück. Der stürzende Wagen
Reißt die schwitzenden Zugtiere
Mit in den Abgrund.
*Aus dem Torbogen kommen in Panik Dienstboten ge-*          15
*laufen.*
DIE DIENSTBOTEN *durcheinander:* Die Lastkörbe! Alles in
den dritten Hof! Lebensmittel für fünf Tage. – Die gnä-
dige Frau liegt in einer Ohnmacht. – Man muß sie her-
untertragen, sie muß fort. – Und wir? – Uns schlachten   20
sie wie die Hühner ab, das kennt man. – Jesus Maria,
was wird sein? – In der Stadt soll schon Blut fließen. –
Unsinn, der Gouverneur ist nur höflich aufgefordert
worden, zu einer Sitzung der Fürsten zu erscheinen, alles
wird gütlich geregelt werden, ich habe es aus erster      25
Quelle.
*Auch die beiden Ärzte stürzen auf den Hof.*
ERSTER ARZT *sucht den zweiten zurückzuhalten:* Niko
Mikadze, es ist Ihre ärztliche Pflicht, Natella Abaschwili
Beistand zu leisten.                                        30
ZWEITER ARZT Meine Pflicht? Die Ihrige!
ERSTER ARZT Wer hat das Kind heute, Niko Mikadze, Sie
oder ich?
ZWEITER ARZT Glauben Sie wirklich, Mikha Loladze, daß
ich wegen dem Balg eine Minute länger in einem ver-      35
pesteten Haus bleibe?

*Sie geraten ins Raufen. Man hört nur noch »Sie verlet-*
*zen Ihre Pflicht« und »Pflicht hin, Pflicht her!«, dann*
*schlägt der zweite Arzt den ersten nieder.*

ZWEITER ARZT  Oh, geh zur Hölle. *Ab.*

*Der Soldat Simon Chachava kommt und sucht im Ge-*
*dränge Grusche.*

DIE DIENSTBOTEN  Man hat Zeit bis Abend, vorher sind die
Soldaten nicht besoffen. – Weiß man denn, ob sie schon
gemeutert haben? – Die Palastwache ist abgeritten. –
Weiß denn immer noch niemand, was passiert ist?

GRUSCHE  Der Fischer Meliwa sagt, in der Hauptstadt hat
man am Himmel einen Kometen gesehen* mit einem roten Schweif, das hat Unglück bedeutet.

DIE DIENSTBOTEN  Gestern soll in der Hauptstadt bekannt
geworden sein, daß der Persische Krieg ganz verloren
ist. – Die Fürsten haben einen großen Aufstand gemacht. Es heißt, der Großfürst ist schon geflohen. Alle
seine Gouverneure werden hingerichtet. – Den Kleinen
tun sie nichts. Ich habe meinen Bruder bei den Panzerreitern.

DER ADJUTANT  *erscheint im Torbogen:* Alles in den dritten
Hof! Alles beim Packen helfen!

*Er treibt das Gesinde weg. Simon findet endlich Gru-*
*sche.*

SIMON  Da bist du ja, Grusche. Was wirst du machen?

GRUSCHE  Nichts. Für den Notfall habe ich einen Bruder
mit einem Hof im Gebirge. Aber was ist mit dir?

SIMON  Mit mir ist nichts. *Wieder förmlich.* Grusche Vach-
nadze, deine Frage nach meinen Plänen erfüllt mich mit
Genugtuung. Ich bin abkommandiert, die Frau, Natella
Abaschwili, als Wächter zu begleiten.

GRUSCHE  Aber hat die Palastwache nicht gemeutert?

SIMON  *ernst:* So ist es.

GRUSCHE  Ist es nicht gefährlich, die Frau zu begleiten?

SIMON  In Tiflis sagt man: ist das Stechen etwa gefährlich
für das Messer?

Abergläubi-
sche
Menschen
sehen
Kometen als
Zeichen
drohenden
Unglücks.

GRUSCHE Du bist kein Messer, sondern ein Mensch, Simon Chachava. Was geht dich die Frau an?

SIMON Die Frau geht mich nichts an, aber ich bin abkommandiert, und so reite ich.

GRUSCHE So ist der Herr Soldat ein dickköpfiger Mensch, weil er sich für nichts und wieder nichts in Gefahr begibt. *Als aus dem Palast nach ihr gerufen wird.* Ich muß in den dritten Hof und habe Eile.

SIMON Da Eile ist, sollten wir uns nicht streiten, denn für ein gutes Streiten ist Zeit nötig. Ist die Frage erlaubt, ob das Fräulein noch Eltern hat?

GRUSCHE Nein. Nur den Bruder.

SIMON Da die Zeit kurz ist – die zweite Frage wäre: ist das Fräulein gesund wie der Fisch im Wasser?

GRUSCHE Vielleicht ein Reißen in der rechten Schulter mitunter, aber sonst kräftig für jede Arbeit, es hat sich noch niemand beschwert.

SIMON Das ist bekannt. Wenn es sich am Ostersonntag darum handelt, wer holt trotzdem die Gans, dann ist es sie. Frage drei: ist das Fräulein ungeduldig veranlagt? Will es Äpfel im Winter?

GRUSCHE Ungeduldig nicht, aber wenn in den Krieg gegangen wird ohne Sinn und keine Nachricht kommt, ist es schlimm.

SIMON Eine Nachricht wird kommen. *Aus dem Palast wird wieder nach Grusche gerufen.* Zum Schluß die Hauptfrage . . .

GRUSCHE Simon Chachava, weil ich in den dritten Hof muß und große Eile ist, ist die Antwort schon »Ja«.

SIMON *sehr verlegen:* Man sagt: ⌜»Eile heißt der Wind, der das Baugerüst umweht.«⌝ Aber man sagt auch: »Die Reichen haben keine Eile.« Ich bin aus . . .

GRUSCHE ⌜Kutsk⌝ . . .

SIMON Da hat das Fräulein sich also erkundigt? Bin gesund, habe für niemand zu sorgen, kriege 100 Piaster*

(griech.-lat.-roman.) (Frühere) Münzeinheit u. a. in der Türkei

im Monat, als ⌈Zahlmeister⌉ 200, und bitte herzlich um
die Hand.

GRUSCHE Simon Chachava, es ist mir recht.

SIMON *nestelt sich eine dünne Kette vom Hals, an der ein*
*Kreuzlein hängt:* Das Kreuz stammt von meiner Mutter,
Grusche Vachnadze, die Kette ist von Silber; bitte, sie zu
tragen.

GRUSCHE Vielen Dank, Simon.
*Er hängt sie ihr um.*

SIMON Es ist besser, wenn das Fräulein in den dritten Hof
geht, sonst gibt es Anstände*. Auch muß ich die Pferde     Schwierig-
einspannen, das versteht das Fräulein.                     keiten

GRUSCHE Ja, Simon.
*Sie stehen unentschieden.*

SIMON Ich begleite nur die Frau zu den Truppen, die treu
geblieben sind. Wenn der Krieg aus ist, komm ich zurück. Zwei Wochen oder drei. Ich hoffe, meiner Verlobten wird die Zeit nicht zu lang, bis ich zurückkehre.

GRUSCHE Simon Chachava, ich werde auf dich warten.

⌈Geh du ruhig in die Schlacht, Soldat
Die blutige Schlacht, die bittere Schlacht
Aus der nicht jeder wiederkehrt:
Wenn du wiederkehrst, bin ich da.
Ich werde warten auf dich unter der grünen Ulme
Ich werde warten auf dich unter der kahlen Ulme
Ich werde warten, bis der Letzte zurückgekehrt ist
Und danach.
Kommst du aus der Schlacht zurück
Keine Stiefel stehen vor der Tür
Ist das Kissen neben meinem leer
Und mein Mund ist ungeküßt
Wenn du wiederkehrst, wenn du wiederkehrst
Wirst du sagen können: alles ist wie einst.⌉

SIMON Ich danke dir, Grusche Vachnadze. Und auf Wiedersehen!

*Er verbeugt sich tief vor ihr. Sie verbeugt sich ebenso tief vor ihm. Dann läuft sie schnell weg, ohne sich umzuschauen. Aus dem Torbogen tritt der Adjutant.*

DER ADJUTANT *barsch:* Spann die Gäule vor den großen Wagen, steh nicht herum, Dreckkerl.

*Simon Chachava steht stramm und geht ab. Aus dem Torbogen kriechen zwei Diener, tief gebückt unter ungeheuren Kisten. Dahinter stolpert, gestützt von ihren Frauen, Natella Abaschwili. Eine Frau trägt ihr das Kind nach.*

DIE GOUVERNEURSFRAU Niemand kümmert sich wieder. Ich weiß nicht, wo mir der Kopf steht. Wo ist Michel? Halt ihn nicht so ungeschickt. Die Kisten auf den Wagen! Hat man etwas vom Gouverneur gehört, Shalva?

DER ADJUTANT *schüttelt den Kopf:* Sie müssen sofort weg.

DIE GOUVERNEURSFRAU Weiß man etwas aus der Stadt?

DER ADJUTANT Nein, bis jetzt ist alles ruhig, aber es ist keine Minute zu verlieren. Die Kisten haben keinen Platz auf dem Wagen. Suchen Sie sich aus, was Sie brauchen. *Er geht schnell hinaus.*

DIE GOUVERNEURSFRAU Nur das Nötigste! Halt. Schnell, die Kisten auf, ich werde euch angeben, was mit muß. *Die Kisten werden niedergestellt und geöffnet.*

Brokat ist ein kostbares Seidengewebe.

DIE GOUVERNEURSFRAU *auf bestimmte Brokatkleider* zeigend: Das Grüne und natürlich das mit dem Pelzchen! Wo sind die Ärzte? Ich bekomme wieder die schauderhafte Migräne, das fängt immer in den Schläfen an. Das mit den Perlknöpfchen . . .

*Grusche herein.*

DIE GOUVERNEURSFRAU Du läßt dir Zeit, wie? Hol sofort die Wärmflaschen. *Grusche läuft weg, kehrt später mit den Wärmflaschen zurück und wird von der Gouverneursfrau stumm hin und her beordert.*

DIE GOUVERNEURSFRAU Zerreiß den Ärmel nicht.

DIE JUNGE FRAU Bitte, gnädige Frau, dem Kleid ist nichts passiert.

DIE GOUVERNEURSFRAU Weil ich dich gefaßt habe. Ich habe schon lang ein Auge auf dich. Nichts im Kopf, als Shalva Azeretelli Augen drehen! Ich bring dich um, du Hündin. *Schlägt sie.*

DER ADJUTANT *kommt zurück:* Bitte, sich zu beeilen, Natella Abaschwili. In der Stadt fallen Schüsse. *Wieder ab.*

DIE GOUVERNEURSFRAU *läßt die junge Frau los:* Lieber Gott! Meint ihr, sie werden sich vergreifen an uns? Warum? Warum? *Alle schweigen. Sie beginnt, selber in den Kisten zu kramen.* Such das Brokatjäckchen! Hilf ihr! Was macht Michel? Schläft er?

DIE FRAU MIT DEM KIND Jawohl, gnädige Frau.

DIE GOUVERNEURSFRAU Dann leg ihn für einen Augenblick hin und hol mir die Saffianstiefelchen* aus der Schlafkammer, ich brauche sie zu dem Grünen. *Die Frau legt das Kind weg und läuft. Zu der jungen Frau:* Steh nicht herum, du! *Die junge Frau läuft davon.* Bleib, oder ich laß dich hängen. *Pause.* Und wie das alles gepackt ist, ohne Liebe und ohne Verstand. Wenn man nicht alles selber angibt ... In solchen Augenblicken sieht man, was man für Dienstboten hat. Fressen könnt ihr, aber Dankbarkeit gibt's nicht. Ich werd es mir merken.

DER ADJUTANT *sehr erregt:* Natella, kommen Sie sofort. Der Richter des Obersten Gerichts ist von aufständischen Webern soeben gehängt worden.

DIE GOUVERNEURSFRAU Warum? Das Silberne muß ich haben, es hat tausend Piaster gekostet. Und das da und alle Pelze, und wo ist das Weinfarbene?

DER ADJUTANT *versucht, sie wegzuziehen:* In der Vorstadt sind Unruhen ausgebrochen. Wir müssen sogleich weg. Wo ist das Kind?

DIE GOUVERNEURSFRAU *ruft der Frau, die das Kind zu betreuen hat:* Maro! Mach das Kind fertig! Wo steckst du?

*Stiefel aus weichem, buntgefärbtem Ziegenleder*

DER ADJUTANT *im Abgehen:* Wahrscheinlich müssen wir auf den Wagen verzichten und reiten.

*Die Gouverneursfrau kramt in den Kleidern, wirft einige auf den Haufen, der mit soll, nimmt sie wieder weg. Geräusche werden hörbar, Trommeln. Der Himmel beginnt sich zu röten.*

DIE GOUVERNEURSFRAU *verzweifelt kramend:* Ich kann das Weinrote nicht finden. *Ein Diener läuft davon. Achselzuckend zur ersten Frau:* Nimm den ganzen Haufen und trag ihn zum Wagen. Und warum kommt Maro nicht zurück? Seid ihr alle verrückt geworden? Ich sagte es ja, es liegt ganz zuunterst.

DER ADJUTANT *zurück:* Schnell, schnell!

DIE GOUVERNEURSFRAU *zu der ersten Frau:* Lauf! Wirf sie einfach in den Wagen!

DER ADJUTANT Der Wagen geht nicht mit. Kommen Sie, oder ich reite allein.

DIE GOUVERNEURSFRAU Maro! Bring das Kind! *Zur ersten Frau:* Such, Mascha! Bring zuerst die Kleider an den Wagen. Es ist ja Unsinn, ich denke nicht daran, zu reiten! *Sich umwendend, sieht sie die Brandröte und erstarrt. Es brennt.*

*Sie wird vom Adjutanten hinausgezogen. Die erste Frau folgt ihr kopfschüttelnd mit dem Pack Kleider. Aus dem Torbogen kommen Dienstboten.*

DIE KÖCHIN Das muß das Osttor sein, was da brennt.

DER KOCH Fort sind sie. Und ohne den Wagen mit Lebensmitteln. Wie kommen jetzt wir weg?

EIN STALLKNECHT Ja, das ist ein ungesundes Haus für einige Zeit. Sulika, ich hol ein paar Decken, wir hau'n ab.

MARO *aus dem Torbogen, mit Stiefelchen:* Gnädige Frau!

EINE DICKE FRAU Sie ist schon weg.

MARO Und das Kind. *Sie läuft zum Kind, hebt es auf.* Sie haben es zurückgelassen, diese Tiere. *Sie reicht es Grusche.* Halt es mir einen Augenblick. *Lügnerisch.* Ich sehe

1 Das Hohe Kind

nach dem Wagen. *Sie läuft weg, der Gouverneursfrau nach.*

GRUSCHE Was hat man mit dem Herrn gemacht?

DER STALLKNECHT *macht die Geste des Halsabschneidens:*
5 Fft.

DIE DICKE FRAU *bekommt, die Geste sehend, einen Anfall:*
O Gottogottogottogott! Unser Herr Georgi Abaschwili!
Wie Milch und Blut bei der Morgenmette*, und jetzt . . .   Frühgottes-
bringt mich weg. Wir sind alle verloren, ⌐müssen sterben   dienst
10 in Sünden⌐. Wie unser Herr Georgi Abaschwili.

SULIKA *ihr zuredend:* Beruhigen Sie sich, Nina. Man wird
Sie wegbringen. Sie haben niemand etwas getan.

DIE DICKE FRAU *während man sie hinausführt:* O Gotto-
gottogott, schnell, schnell, alles weg, vor sie kommen,
15 vor sie kommen!

EINE JUNGE FRAU Nina nimmt es sich mehr zu Herzen als
die Frau. Sogar das Beweinen müssen sie von anderen
machen lassen! *Sie entdeckt das Kind, das Grusche immer noch hält.* Das Kind! Was machst du damit?

20 GRUSCHE Es ist zurückgeblieben.

DIE JUNGE FRAU Sie hat es liegengelassen? Michel, der in
keine Zugluft kommen durfte!
*Die Dienstboten versammeln sich um das Kind.*

GRUSCHE Er wacht auf.

25 DER STALLKNECHT Leg ihn besser weg, du! Ich möchte
nicht daran denken, was einer passiert, die mit dem
Kind angetroffen wird. Ich hol unsre Sachen, ihr wartet.
*Ab in den Palast.*

DIE KÖCHIN Er hat recht. Wenn die anfangen, schlachten
30 sie einander familienweise ab. Ich hole meine Siebensa-   Habselig-
chen*.                                                       keiten
*Alle sind abgegangen, nur zwei Frauen und Grusche mit
dem Kind auf dem Arm stehen noch da.*

SULIKA Hast du nicht gehört, du sollst ihn weglegen!

35 GRUSCHE Die Kinderfrau hat ihn mir für einen Augenblick
zum Halten gegeben.

DIE KÖCHIN Die kommt nicht zurück, du Einfältige!

SULIKA Laß die Hände davon.

DIE KÖCHIN Sie werden mehr hinter ihm her sein als hinter der Frau. Es ist der Erbe. Grusche, du bist eine gute Seele, aber du weißt, die Hellste bist du nicht. Ich sag dir, wenn es den ⌈Aussatz⌉ hätte, wär's nicht schlimmer. Sieh zu, daß du durchkommst.

*Der Stallknecht ist mit Bündeln zurückgekommen und verteilt sie an die Frauen. Außer Grusche machen sich alle zum Weggehen fertig.*

GRUSCHE *störrisch:* Es hat keinen Aussatz. Es schaut einen an wie ein Mensch.

DIE KÖCHIN Dann schau du's nicht an. Du bist gerade die Dumme, der man alles aufladen kann. Wenn man zu dir sagt: du läufst nach dem Salat, du hast die längsten Beine, dann läufst du. Wir nehmen den Ochsenwagen, du kannst mit hinauf, wenn du schnell machst. Jesus, jetzt muß schon das ganze Viertel brennen!

SULIKA Hast du nichts gepackt? Du, viel Zeit ist nicht mehr, bis die Panzerreiter von der Kaserne* kommen.

(lat.-franz.) Gebäude zur Unterbringung von Soldaten

*Die beiden Frauen und der Stallknecht gehen ab.*

GRUSCHE Ich komme.

*Grusche legt das Kind nieder, betrachtet es einige Augenblicke, holt aus den herumstehenden Koffern Kleidungsstücke und deckt damit das immer noch schlafende Kind zu. Dann läuft sie in den Palast, um ihre Sachen zu holen. Man hört Pferdegetrappel und das Aufschreien von Frauen. Herein der fette Fürst mit betrunkenen Panzerreitern. Einer trägt auf einem Spieß den Kopf des Gouverneurs.*

DER FETTE FÜRST Hier, in die Mitte! *Einer der Soldaten klettert auf den Rücken eines andern, nimmt den Kopf und hält ihn prüfend über den Torbogen.* Das ist nicht die Mitte, weiter rechts, so. Was ich machen lasse, meine Lieben, laß ich ordentlich machen. *Während der Soldat*

*mit Hammer und Nagel den Kopf am Haar festmacht.*
Heute früh an der Kirchentüre sagte ich Georgi
Abaschwili: »Ich liebe heitere Himmel«, aber eigentlich
liebe ich mehr den Blitz, der aus dem heitern Himmel
kommt, ach ja. Schade ist nur, daß sie den Balg wegge-
bracht haben, ich brauche ihn dringend.
*Er geht mit den Panzerreitern ab. Man hört wieder Pfer-*
*degetrappel. Grusche kommt, sich vorsichtig umschau-*
*end, aus dem Torbogen. Sie trägt ein Bündel und geht*
*auf das Portal zu. Fast schon dort, wendet sie sich um,*
*zu sehen, ob das Kind noch da ist. Da beginnt der Sänger*
*zu singen. Sie bleibt unbeweglich stehen.*

DER SÄNGER
Als sie nun stand zwischen Tür und Tor, hörte sie
Oder vermeinte zu hören ein leises Rufen: das Kind
Rief ihr, wimmerte nicht, sondern rief ganz verständig
So jedenfalls war's ihr. »Frau«, sagte es, »hilf mir.«
Und es fuhr fort, wimmerte nicht, sondern sprach ganz
                                                    verständig:
»Wisse, Frau, wer einen Hilferuf nicht hört
Sondern vorbeigeht, verstörten Ohrs: nie mehr
Wird der hören den leisen Ruf des Liebsten noch
Im Morgengrauen die Amsel oder den wohligen
Seufzer der erschöpften Weinpflücker beim ⌐Angelus⌐.«
Dies hörend
*Grusche tut ein paar Schritte auf das Kind zu und beugt*
*sich über es*
                     ging sie zurück, das Kind
Noch einmal anzusehen. Nur für ein paar Augenblicke
Bei ihm zu bleiben, nur bis wer andrer käme –
Die Mutter vielleicht oder irgendwer –
*sie setzt sich dem Kind gegenüber, an die Kiste gelehnt*
Nur bevor sie wegging, denn die Gefahr war zu groß, die
                                                    Stadt erfüllt
Von Brand und Jammer.

*Das Licht wird schwächer, als würde es Abend und
Nacht. Grusche ist in den Palast gegangen und hat eine
Lampe und Milch geholt, von der sie dem Kinde zu trin-
ken gibt.*

DER SÄNGER *laut:*

⌐Schrecklich ist die Verführung zur Güte!⌐

*Grusche sitzt jetzt deutlich wachend bei dem Kind die
Nacht durch. Einmal zündet sie eine kleine Lampe an, es
anzuleuchten, einmal hüllt sie es wärmer in den Mantel.
Mitunter horcht sie und schaut sich um, ob niemand
kommt.*

Lange saß sie bei dem Kinde
Bis der Abend kam, bis die Nacht kam
Bis die Frühdämmerung kam. ⌐Zu lange saß sie –
Zu lange sah sie –
Das stille Atmen, die kleinen Fäuste
Bis die Verführung zu stark wurde gegen Morgen zu
Und sie aufstand, sich bückte und seufzend das Kind
nahm
Und es wegtrug.⌐

*Sie tut, was der Sänger sagt, so, wie er es beschreibt.*

Wie eine Beute nahm sie es an sich
Wie eine Diebin schlich sie sich weg.


2
*Die Flucht in die nördlichen Gebirge*


DER SÄNGER

Als Grusche Vachnadze aus der Stadt ging
⌐Auf der grusinischen Heerstraße⌐
Auf dem Weg in die nördlichen Gebirge
Sang sie ein Lied, kaufte Milch.

DIE MUSIKER

Wie will die Menschliche entkommen

Den Bluthunden, den Fallenstellern?
In die menschenleeren Gebirge wanderte sie
Auf der grusinischen Heerstraße wanderte sie
Sang sie ein Lied, kaufte Milch.

5 *Grusche Vachnadze wandernd, auf dem Rücken in ei-*
*nem Sack das Kind tragend, ein Bündel in der einen,*
*einen großen Stock in der anderen Hand.*

GRUSCHE *singt:*

Vier Generäle
10 Zogen nach Iran.
Der erste führte keinen Krieg
Der zweite hatte keinen Sieg
Dem dritten war das Wetter zu schlecht
Dem vierten kämpften die Soldaten nicht recht.
15 Vier Generäle
Und keiner kam an.

⌐Sosso⌐ Robakidse
Marschierte nach Iran.
Er führte einen harten Krieg
20 Er hatte einen schnellen Sieg
Das Wetter war ihm gut genug
Und sein Soldat sich gut genug schlug.
Sosso Robakidse
Ist unser Mann.

25 *Eine Bauernhütte taucht auf.*
GRUSCHE *zum Kind:* Mittagszeit, essen d' Leut. Da bleiben
wir also gespannt im Gras sitzen, bis die gute Grusche
ein Kännchen Milch erstanden hat. *Sie setzt das Kind zu*
*Boden und klopft an der Tür der Hütte; ein alter Bauer*
30 *öffnet.* Kann ich ein Kännchen Milch haben und vielleicht einen Maisfladen, Großvater?
DER ALTE Milch? Wir haben keine Milch. Die Herren Sol-

daten aus der Stadt haben unsere Ziegen. Geht zu den
Herren Soldaten, wenn ihr Milch haben wollt.

GRUSCHE Aber ein Kännchen Milch für ein Kind werdet
Ihr doch noch haben, Großvater?

DER ALTE Und für ein »Vergelt's Gott!«, wie?

GRUSCHE Wer redet von »Vergelt's Gott!« *Zieht ihr Por-
temonnaie. Hier wird ausbezahlt wie bei Fürstens. Den
Kopf in den Wolken, den Hintern im Wasser! *Der Bauer
holt brummend Milch.* Und was kostet also das Kännchen?

DER ALTE Drei Piaster. Die Milch hat aufgeschlagen.

GRUSCHE Drei Piaster? Für den Spritzer? *Der Alte schlägt
ihr wortlos die Tür ins Gesicht.* Michel, hast du das gehört? Drei Piaster! Das können wir uns nicht leisten. *Sie
geht zurück, setzt sich und gibt dem Kind die Brust.* Da
müssen wir es noch mal so versuchen. Zieh, denk an die
drei Piaster! Es ist nichts drin, aber du meinst, du trinkst,
und das ist etwas. *Kopfschüttelnd sieht sie, daß das Kind
nicht mehr saugt. Sie steht auf, geht zur Tür zurück und
klopft wieder.* Großvater, mach auf, wir zahlen! *Leise.
Der Schlag soll dich treffen. *Als der Alte wieder öffnet.*
Ich dachte, es würde einen halben Piaster kosten, aber
das Kind muß was haben. Wie ist es mit einem Piaster?

DER ALTE Zwei.

GRUSCHE Mach nicht wieder die Tür zu. *Sie fischt lange in
ihrem Beutelchen.* Da sind zwei Piaster. Die Preise müssen aber wieder fallen, wir haben noch einen langen
Weg vor uns. Es ist eine Halsabschneiderei und eine Sünde.

DER ALTE Schlagt die Soldaten tot, wenn ihr Milch wollt.

GRUSCHE *gibt dem Kind zu trinken:* Das ist ein teurer
Spaß. Schluck, Michel, das ist ein Wochenlohn. Die Leute hier glauben, wir haben unser Geld mit dem Arsch
verdient. Michel, Michel, ich hab mir mit dir etwas auf-
geladen! *Den Brokatmantel betrachtend, in den das

*Kind gewickelt ist.* Ein Brokatmantel für tausend Piaster und keinen Piaster für Milch. *Sie blickt nach hinten.* Dort zum Beispiel ist dieser Wagen mit den reichen Flüchtlingen, auf den müßten wir kommen.

5 *Vor einer ⌐Karawanserei⌐. Man sieht Grusche, gekleidet in den Brokatmantel, auf zwei vornehme Damen zutreten. Das Kind hat sie in den Armen.*

GRUSCHE Ach, die Damen wünschen wohl auch hier zu übernachten? Es ist schrecklich, wie überfüllt alles ist,
10 und keine Fuhrwerke aufzutreiben! Mein Kutscher kehrte einfach um, ich bin eine ganze halbe Meile zu Fuß gegangen. Barfuß! Meine persischen Schuhe – Sie kennen die Stöckel! Aber warum kommt hier niemand?

ÄLTERE DAME Der Wirt läßt auf sich warten. Seit in der
15 Hauptstadt diese Dinge passiert sind, gibt es im ganzen Land keine Manieren mehr.

*Heraus tritt der Wirt, ein sehr würdiger, langbärtiger Greis, gefolgt von seinem Hausknecht.*

DER WIRT Entschuldigen Sie einen alten Mann, daß er Sie
20 warten ließ, meine Damen. Mein kleiner Enkel zeigte mir einen Pfirsichbaum in Blüte, dort am Hang, jenseits der Maisfelder. Wir pflanzen dort Obstbäume, ein paar Kirschen. Westlich davon *er zeigt* wird der Boden steiniger, die Bauern treiben ihre Schafe hin. Sie müßten die
25 Pfirsichblüte sehen, das Rosa ist exquisit.

ÄLTERE DAME Sie haben eine fruchtbare Umgebung.

DER WIRT Gott hat sie gesegnet. Wie ist es mit der Baumblüte weiter südlich, meine Herrschaften? Sie kommen wohl von Süden?

30 JÜNGERE DAME Ich muß sagen, ich habe nicht eben aufmerksam die Landschaft betrachtet.

DER WIRT *höflich:* Ich verstehe, der Staub. Es empfiehlt sich sehr, auf unserer Heerstraße ein gemächliches Tempo einzuschlagen, vorausgesetzt, man hat es nicht zu
35 eilig.

ÄLTERE DAME Nimm den Schleier um den Hals, Liebste.
Die Abendwinde scheinen etwas kühl hier.

DER WIRT Sie kommen von den Gletschern des ⌜Janga-
Tau⌝ herunter, meine Damen.

GRUSCHE Ja, ich fürchte, mein Sohn könnte sich erkälten. 5

ÄLTERE DAME Eine geräumige Karawanserei! Vielleicht
treten wir ein?

Zimmer   DER WIRT Oh, die Damen wünschen Gemächer*? Aber die
Karawanserei ist überfüllt, meine Damen, und die
Dienstboten sind weggelaufen. Ich bin untröstlich, aber 10
ich kann niemanden mehr aufnehmen, nicht einmal mit
Referenzen . . .

JÜNGERE DAME Aber wir können doch nicht hier auf der
Straße nächtigen.

ÄLTERE DAME *trocken:* Was kostet es? 15

DER WIRT Meine Damen, Sie werden begreifen, daß ein
Haus in diesen Zeiten, wo so viele Flüchtlinge, sicher
sehr respektable, jedoch bei den Behörden mißliebige
Personen, Unterschlupf suchen, besondere Vorsicht
walten lassen muß. Daher . . . 20

ÄLTERE DAME Mein lieber Mann, wir sind keine Flüchtlinge. Wir ziehen auf unsere Sommerresidenz in den Bergen, das ist alles. Wir würden nie auf die Idee kommen,
Gastlichkeit zu beanspruchen, wenn wir sie – so dring-
lich benötigten. 25

DER WIRT *neigt anerkennend den Kopf:* Unzweifelhaft
nicht. Ich zweifle nur, ob der zur Verfügung stehende
winzige Raum den Damen genehm wäre. Ich muß 60
Piaster pro Person berechnen. Gehören die Damen zusammen? 30

GRUSCHE In gewisser Weise. Ich benötige ebenfalls eine
Bleibe.

JÜNGERE DAME 60 Piaster! Das ist halsabschneiderisch.

DER WIRT *kalt:* Meine Damen, ich habe nicht den Wunsch,
Hälse abzuschneiden, daher . . . *Wendet sich zum Ge-* 35
*hen.*

ÄLTERE DAME Müssen wir von Hälsen reden? Komm
schon. *Geht hinein, gefolgt vom Hausknecht.*

JÜNGERE DAME *verzweifelt:* 180 Piaster für einen Raum!
*Sich umblickend nach Grusche.* Aber es ist unmöglich
mit dem Kind! Was, wenn es schreit?

DER WIRT Der Raum kostet 180, für zwei oder drei Personen.

JÜNGERE DAME *dadurch verändert zu Grusche:* Andrer-
seits ist es mir unmöglich, Sie auf der Straße zu wissen,
meine Liebe. Bitte, kommen Sie.

*Sie gehen in die Karawanserei. Auf der andern Seite der
Bühne erscheint von hinten der Hausknecht mit etwas
Gepäck. Hinter ihm die ältere Dame, dann die zweite
Dame und Grusche mit dem Kind.*

JÜNGERE DAME 180 Piaster! Ich habe mich nicht so aufge-
regt, seit der liebe Igor nach Haus gebracht wurde.

ÄLTERE DAME Mußt du von Igor reden?

JÜNGERE DAME Eigentlich sind wir vier Personen, das
Kind ist auch jemand, nicht? *Zu Grusche:* Könnten Sie
nicht wenigstens die Hälfte des Preises übernehmen?

GRUSCHE Das ist unmöglich. Sehen Sie, ich mußte schnell
aufbrechen, und der Adjutant hat vergessen, mir genü-
gend Geld zuzustecken.

ÄLTERE DAME Haben Sie etwa die 60 auch nicht?

GRUSCHE Die werde ich zahlen.

JÜNGERE DAME Wo sind die Betten?

DER HAUSKNECHT Betten gibt's nicht. Da sind Decken und
Säcke. Das werden Sie sich schon selber richten müssen.
Seid froh, daß man euch nicht in eine Erdgrube legt wie
viele andere. *Ab.*

JÜNGERE DAME Hast du das gehört? Ich werde sofort zum
Wirt gehen. Der Mensch muß ausgepeitscht werden.

ÄLTERE DAME Wie dein Mann?

JÜNGERE DAME Du bist so roh. *Sie weint.*

ÄLTERE DAME Wie werden wir etwas Lagerähnliches her-
stellen?

GRUSCHE  Das werde ich schon machen. *Sie setzt das Kind nieder.* Zu mehreren hilft man sich immer leichter durch. Sie haben noch den Wagen. *Den Boden fegend.* Ich wurde vollständig überrascht. »Liebe Anastasia Katarinowska«, sagte mein Mann mir vor dem Mittagsmahl, »lege dich noch ein wenig nieder, du weißt, wie leicht du deine Migräne bekommst.« *Sie schleppt die Säcke herbei, macht Lager; die Damen, ihrer Arbeit folgend, sehen sich an.* »Georgi«, sagte ich dem Gouverneur, »mit sechzig Gästen zum Essen kann ich mich nicht niederlegen, auf die Dienstboten ist doch kein Verlaß, und Michel Georgiwitsch ißt nicht ohne mich.« *Zu Michel:* Siehst du, Michel, es kommt alles in Ordnung, was hab ich dir gesagt! *Sie sieht plötzlich, daß die Damen sie merkwürdig betrachten und auch tuscheln.* So, da liegt man jedenfalls nicht auf dem nackten Boden. Ich habe die Decken doppelt genommen.

ÄLTERE DAME *befehlerisch:* Sie sind ja recht gewandt im Bettmachen, meine Liebe. ⌜Zeigen Sie Ihre Hände!⌝

GRUSCHE *erschreckt:* Was meinen Sie?

JÜNGERE DAME  Sie sollen Ihre Hände herzeigen.
*Grusche zeigt den Damen ihre Hände.*

JÜNGERE DAME *triumphierend:* Rissig! Ein Dienstbote!

ÄLTERE DAME *geht zur Tür, schreit hinaus:* Bedienung!

JÜNGERE DAME  Du bist ertappt, Gaunerin. Gesteh ein, was du im Schild geführt hast.

GRUSCHE *verwirrt:* Ich habe nichts im Schild geführt. Ich dachte, daß Sie uns vielleicht auf dem Wagen mitnehmen, ein Stückchen lang. Bitte, machen Sie keinen Lärm, ich gehe schon von selber.

JÜNGERE DAME *während die ältere Dame weiter nach Bedienung schreit:* Ja, du gehst, aber mit der Polizei. Vorläufig bleibst du. Rühr dich nicht vom Ort, du!

GRUSCHE  Aber ich wollte sogar die 60 Piaster bezahlen, hier. *Zeigt die Börse.* Sehen Sie selbst, ich habe sie; da sind vier Zehner und da ist ein Fünfer, nein, das ist auch ein Zehner, jetzt sind's sechzig. Ich will nur das Kind auf den Wagen bekommen, das ist die Wahrheit.

JÜNGERE DAME  Ach, auf den Wagen wolltest du! Jetzt ist
5  es heraußen.

GRUSCHE  Gnädige Frau, ich gestehe es ein, ich bin niedriger Herkunft, bitte, holen Sie nicht die Polizei. Das Kind ist von hohem Stand, sehen Sie das Linnen, es ist auf der Flucht wie Sie selber.

10  JÜNGERE DAME  Von hohem Stand, das kennt man. Ein Prinz ist der Vater, wie?

GRUSCHE  *wild zur älteren Dame:* Sie sollen nicht schreien! Habt ihr denn gar kein Herz?

JÜNGERE DAME  *zur älteren:* Gib acht, sie tut dir was an, sie
15  ist gefährlich! Hilfe! Mörder!

DER HAUSKNECHT  *kommt:* Was gibt es denn?

ÄLTERE DAME  Die Person hier hat sich eingeschmuggelt, indem sie eine Dame gespielt hat. Wahrscheinlich eine Diebin.

20  JÜNGERE DAME  Und eine gefährliche dazu. Sie wollte uns kaltmachen. Es ist ein Fall für die Polizei. Ich fühle schon meine Migräne kommen, ach Gott.

DER HAUSKNECHT  Polizei gibt's im Augenblick nicht. *Zu Grusche:* Pack deine Siebensachen, Schwester, und ver-
25  schwinde wie die Wurst im Spinde.

GRUSCHE  *nimmt zornig das Kind auf:* Ihr Unmenschen! Und sie nageln eure Köpfe schon an die Mauer!

DER HAUSKNECHT  *schiebt sie hinaus:* Halt das Maul. Sonst kommt der Alte dazu, und der versteht keinen Spaß.

30  ÄLTERE DAME  *zur jüngeren:* Sieh nach, ob sie nicht schon was gestohlen hat!

*Während die Damen recht fieberhaft nachsehen, ob etwas gestohlen ist, tritt links der Hausknecht mit Grusche aus dem Tor.*

35  DER HAUSKNECHT  Trau, schau, wem*, sage ich. In Zukunft sieh dir die Leute an, bevor du dich mit ihnen einläßt.

Sprichwort. Bedeutet: anderen nicht leichtfertig vertrauen

GRUSCHE Ich dachte, ihresgleichen würden sie eher anständig behandeln.

DER HAUSKNECHT Sie denken nicht daran. Glaub mir, es ist nichts schwerer, als einen faulen und nutzlosen Menschen nachzuahmen. Wenn du bei denen in den Verdacht kommst, daß du dir selber den Arsch wischen kannst oder schon einmal im Leben mit deinen Händen gearbeitet hast, ist es aus. Wart einen Augenblick, dann bring ich dir ein Maisbrot und ein paar Äpfel.

GRUSCHE Lieber nicht. Besser, ich gehe, bevor der Wirt kommt. Und wenn ich die Nacht durchlaufe, bin ich aus der Gefahr, denke ich. *Geht weg.*

DER HAUSKNECHT *ruft ihr leise nach:* Halt dich rechts an der nächsten Kreuzung.

*Sie verschwindet.*

DER SÄNGER
Als Grusche Vachnadze nach dem Norden ging
Gingen hinter ihr die Panzerreiter des Fürsten.

DIE MUSIKER
Wie kann die Barfüßige den Panzerreitern entlaufen?
Den Bluthunden, den Fallenstellern?
Selbst in den Nächten jagen sie. Die Verfolger
Kennen keine Ermüdung. Die Schlächter
Schlafen nur kurz.

*Zwei Panzerreiter trotten zu Fuß auf der Heerstraße.*

DER GEFREITE Holzkopf, aus dir kann nichts werden. Warum, du bist nicht mit dem Herzen dabei. Der Vorgesetzte merkt es an Kleinigkeiten. Wie ich's der Dicken gemacht habe vorgestern, du hast den Mann gehalten, wie ich dir's befohlen hab, und ihn in den Bauch getreten hast du, aber hast du's mit Freuden getan wie ein guter Gemeiner, oder nur anstandshalber? Ich hab dir zugeschaut, Holzkopf. Du bist wie das leere Stroh oder ⌐wie die klingende Schelle⌐, du wirst nicht befördert. *Sie gehen eine Strecke schweigend weiter.* Bild dir nicht ein, daß ich's mir nicht merk, wie du in jeder Weise zeigst, wie du widersetzlich bist. Ich verbiet dir, daß du hinkst. Das machst du wieder nur, weil ich die Gäule verkauft habe, weil ich einen solchen Preis nicht mehr bekommen kann. Mit dem Hinken willst du mir andeuten, daß du nicht gern zu Fuß gehst, ich kenn dich. Es wird dir nicht nützen, es schadet dir. Singen!

DIE BEIDEN PANZERREITER *singen:*

⌜Zieh ins Feld ich traurig meiner Straßen
Mußt zu Hause meine Liebste lassen.
Soll'n die Freunde hüten ihre Ehre
Bis ich aus dem Felde wiederkehre.⌝

DER GEFREITE Lauter!

DIE BEIDEN PANZERREITER

⌜Wenn ich auf dem Kirchhof liegen werde
Bringt die Liebste mir ein' Handvoll Erde.
Sagt: Hier ruhn die Füße, die zu mir gegangen
Hier die Arme, die mich oft umfangen.⌝
*Sie gehen wieder eine Strecke schweigend.*

DER GEFREITE Ein guter Soldat ist mit Leib und Seele dabei. Wenn er einen Befehl hört, steht er ihm; wenn sein Spieß in das Gekröse* des Feinds fährt, kommt es ihm. Für einen Vorgesetzten läßt er sich zerfetzen. Mit brechendem Aug sieht er noch, wie sein Gefreiter ihm anerkennend zunickt. Das ist ihm Lohn genug, sonst will er nichts. Aber dir wird nicht zugenickt, und verrecken mußt du doch. Kruzifix, wie soll ich mit so einem Untergebenen den ⌜Gouverneursbankert⌝ finden, das möcht ich wissen.

*Sie gehen weiter.*

DER SÄNGER

Als Grusche Vachnadze an den Fluß Sirra* kam
Wurde die Flucht ihr zuviel, der Hilflose ihr zu schwer.

DIE MUSIKER

In den Maisfeldern die rosige Frühe

Eingeweide

Von Brecht erfunden

Ist dem Übernächtigen nichts als kalt. Der
                              Milchgeschirre
Fröhliches Klirren im Bauerngehöft, von dem Rauch
                              aufsteigt
Klingt dem Flüchtling drohend. Die das Kind schleppt    5
Fühlt die Bürde und wenig mehr.

*Grusche steht vor einem Bauernhof. Eine dicke Bäuerin*
*trägt eine Milchkanne in die Tür. Grusche wartet, bis sie*
*drinnen ist, dann geht sie vorsichtig auf das Haus zu.*

GRUSCHE Jetzt hast du dich wieder naß gemacht, und du    10
weißt, ich hab keine Windeln für dich. Michel, wir müssen uns trennen. Es ist weit genug von der Stadt. So
werden sie nicht auf dich kleinen Dreck aus sein, daß sie
dich bis hierher verfolgen. Die Bauersfrau ist freundlich,
und schmeck, wie es nach Milch riecht. So leb also wohl,    15
Michel, ich will vergessen, wie du mich in den Rücken
getreten hast die Nacht durch, daß ich gut lauf, und du
vergißt die schmale Kost, sie war gut gemeint. Ich hätt
dich gern weiter gehabt, weil deine Nase so klein ist,
aber es geht nicht. Ich hätt dir den ersten Hasen gezeigt    20
und – daß du dich nicht mehr naß machst, aber ich muß
zurück, denn auch mein Liebster, der Soldat, mag bald
zurück sein, und soll er mich da nicht finden? Das
kannst du nicht verlangen.

*Sie schleicht sich zur Tür und legt das Kind vor der*    25
*Schwelle nieder. Dann wartet sie versteckt hinter einem*
*Baum, bis die Bauersfrau wieder aus der Tür tritt und*
*das Bündel findet.*

DIE BAUERSFRAU Jesus Christus, was liegt denn da?
Mann!    30

DER BAUER *kommt:* Was ist los? Laß mich meine Suppe
essen.

DIE BAUERSFRAU *zum Kind:* Wo ist denn deine Mutter,
hast du keine? Es ist ein Junge. Und das Linnen ist fein,
das ist ein feines Kind. Sie haben's einfach vor die Tür    35
gelegt, das sind Zeiten!

DER BAUER  Wenn sie glauben, wir füttern's ihnen, irren sie
sich. Du bringst es ins Dorf zum Pfarrer, das ist alles.

DIE BAUERSFRAU  Was soll der Pfarrer damit, es braucht
eine Mutter. Da, es wacht auf. Glaubst du, wir könnten's nicht doch aufnehmen?

DER BAUER  *schreiend:* Nein!

DIE BAUERSFRAU  Wenn ich's in die Ecke neben den Lehn-
stuhl bette, ich brauch nur einen Korb, und auf das Feld
nehm ich's mit. Siehst du, wie es lacht? Mann, wir haben
ein Dach überm Kopf und können's tun, ich will nichts
mehr hören.

*Sie trägt es hinein, der Bauer folgt protestierend. Gru-*
*sche kommt hinter dem Baum vor, lacht und eilt weg, in*
*umgekehrter Richtung.*

DER SÄNGER

Warum heiter, Heimkehrerin?

DIE MUSIKER

Weil der Hilflose sich
Neue Eltern angelacht hat, bin ich heiter. Weil ich den
Lieben
Los bin, freue ich mich.

DER SÄNGER

Und warum traurig?

DIE MUSIKER

Weil ich frei und ledig gehe, bin ich traurig.
Wie ein Beraubter
Wie ein Verarmter.

*Sie ist erst eine kurze Strecke gegangen, wenn sie den*
*zwei Panzerreitern begegnet, die ihre Spieße vorhalten.*

DER GEFREITE  Jungfer, du bist auf die Heeresmacht ge-
stoßen. Woher kommst du? Wann kommst du? Hast du
unerlaubte Beziehungen zum Feind? Wo liegt er? Was
für Bewegungen vollführt er in deinem Rücken? Was ist
mit den Hügeln, was ist mit den Tälern, wie sind die
Strümpfe befestigt?

*Grusche steht erschrocken.*

GRUSCHE Sie sind stark befestigt, besser ihr macht einen Rückzug.

DER GEFREITE Ich mach immer Rückzieher, da bin ich verläßlich. Warum schaust du so auf den Spieß? »Der Soldat läßt im Feld seinen Spieß keinen Augenblick aus der Hand«, das ist Vorschrift, lern's auswendig, Holzkopf. Also, Jungfer, wohin des Wegs?

GRUSCHE Zu meinem Verlobten, Herr Soldat, einem Simon Chachava, bei der Palastwache in Nukha. Und wenn ich ihm schreib, bricht er euch alle Knochen im Leib.

DER GEFREITE Simon Chachava, freilich, den kenn ich. Er hat mir den Schlüssel gegeben, daß ich hin und wieder nach dir schau. Holzkopf, wir werden unbeliebt. Wir müssen damit heraus, daß wir ehrliche Absichten haben. Jungfer, ich bin eine ernste Natur, die sich hinter scheinbaren Scherzen versteckt, und so sag ich dir's dienstlich: ich will von dir ein Kind haben.

*Grusche stößt einen leisen Schrei aus.*

DER GEFREITE Holzkopf, sie hat uns verstanden. Was, das ist ein süßer Schrecken? »Da muß ich erst die Backnudeln aus dem Ofen nehmen, Herr Offizier. Da muß ich erst das zerrissene Hemd wechseln, Herr Oberst!« Spaß beiseite, Spieß beiseite, Jungfer: wir suchen ein gewisses Kind in dieser Gegend. Hast du gehört von einem solchen Kind, das hier aufgetaucht ist aus der Stadt, ein feines, in einem feinen Linnenzeug?

GRUSCHE Nein, ich hab nichts gehört.

DER SÄNGER

Lauf, Freundliche, die Töter kommen!
Hilf dem Hilflosen, Hilflose! Und so läuft sie.

*Sie wendet sich plötzlich und läuft in panischem Entsetzen weg, zurück. Die Panzerreiter schauen sich an und folgen ihr fluchend.*

DIE MUSIKER
In den blutigsten Zeiten
Leben freundliche Menschen.

*Im Bauernhaus beugt die dicke Bäuerin sich über den*
*Korb mit dem Kind, wenn Grusche Vachnadze herein-*
*stürzt.*

GRUSCHE Versteck es schnell. Die Panzerreiter kommen.
Ich hab's vor die Tür gelegt, aber es ist nicht meins, es ist
von feinen Leuten.

BÄUERIN Und wer kommt, was für Panzerreiter?

GRUSCHE Frag nicht lang. Die Panzerreiter, die's suchen.

BÄUERIN In meinem Haus haben sie nichts zu suchen.
Aber mit dir hab ich ein Wörtlein zu reden, scheint's.

GRUSCHE Zieh ihm das feine Linnen aus, das verrät uns.

BÄUERIN Linnen hin, Linnen her. In diesem Haus bestimm
ich, und kotz mir nicht in meine Stube, warum hast du's
ausgesetzt? Das ist eine Sünde.

GRUSCHE *schaut hinaus:* Gleich kommen sie hinter den
Bäumen vor. Ich hätt nicht weglaufen dürfen, das hat sie
gereizt. Was soll ich nur tun?

BÄUERIN *späht ebenfalls hinaus und erschrickt plötzlich*
*tief:* Jesus Maria, Panzerreiter!

GRUSCHE Sie sind hinter dem Kind her.

BÄUERIN Aber wenn sie hereinkommen?

GRUSCHE Du darfst es ihnen nicht geben. Sag, es ist deins.

BÄUERIN Ja.

GRUSCHE Sie spießen's auf, wenn du's ihnen gibst.

BÄUERIN Aber wenn sie's verlangen? Ich hab das Silber für
die Ernte im Haus.

GRUSCHE Wenn du's ihnen gibst, spießen sie's auf, hier in
deiner Stube. Du mußt sagen, es ist deins.

BÄUERIN Ja. Aber wenn sie's nicht glauben?

GRUSCHE Wenn du's fest sagst.

BÄUERIN Sie brennen uns das Dach überm Kopf weg.

GRUSCHE Darum mußt du sagen, es ist deins. Er heißt Michel. Das hätt ich dir nicht sagen dürfen.

*Die Bäuerin nickt.*

GRUSCHE  Nick nicht so mit dem Kopf. Und zitter nicht, das sehn sie.

BÄUERIN  Ja.

GRUSCHE  Hör auf mit deinem »ja«, ich kann's nicht mehr hören. *Schüttelt sie.* Hast du selber keins?

BÄUERIN  *murmelnd:* Im Krieg.

GRUSCHE  Dann ist er vielleicht selber ein Panzerreiter jetzt. Soll er da Kinder aufspießen? Da würdest du ihn schön zusammenstauchen. »Hör auf mit dem Herumfuchteln mit dem Spieß in meiner Stube, hab ich dich dazu aufgezogen? Wasch dir den Hals, bevor du mit deiner Mutter redest.«

BÄUERIN  Das ist wahr, er dürft mir's nicht machen.

GRUSCHE  Versprich mir, daß du ihnen sagst, es ist deins.

BÄUERIN  Ja.

GRUSCHE  Sie kommen jetzt.

*Klopfen an der Tür. Die Frauen antworten nicht. Herein die Panzerreiter. Die Bäuerin verneigt sich tief.*

DER GEFREITE  Da ist sie ja. Was hab ich dir gesagt? Meine Nase. Ich riech sie. Ich hätt eine Frage an dich, Jungfer: warum bist du mir weggelaufen? Was hast du dir denn gedacht, daß ich mit dir will? Ich wett, es war was Unkeusches. Gestehe!

GRUSCHE  *während die Bäuerin sich unaufhörlich verneigt:* Ich hab die Milch auf dem Herd stehenlassen. Daran hab ich mich erinnert.

DER GEFREITE  Ich hab gedacht, es war, weil du geglaubt hast, ich hab dich unkeusch angeschaut. So als ob ich mir was denken könnt mit uns. So ein fleischlicher Blick, verstehst du mich?

GRUSCHE  Das hab ich nicht gesehen.

DER GEFREITE  Aber es hätt sein können, nicht? Das mußt du zugeben. Ich könnt doch eine Sau sein. Ich bin ganz offen mit dir: ich könnt mir allerhand denken, wenn wir allein wären. *Zur Bäuerin:* Hast du nicht im Hof zu tun? Die Hennen füttern?

DIE BÄUERIN *wirft sich plötzlich auf die Knie:* Herr Soldat, ich hab von nichts gewußt. Brennt mir nicht das Dach
5 überm Kopf weg!

DER GEFREITE Von was redest du denn?

DIE BÄUERIN Ich hab nichts damit zu tun, Herr Soldat. Sie hat mir's vor die Tür gelegt, das schwör ich.

DER GEFREITE *sieht das Kind, pfeift:* Ah, da ist ja was Klei-
10 nes im Korb, Holzkopf, ich riech tausend Piaster. Nimm die Alte hinaus und halt sie fest, ich hab ein Verhör ab- zuhalten, wie mir scheint.

*Die Bäuerin läßt sich wortlos von dem Gemeinen ab- führen.*

15 DER GEFREITE Da hast du ja das Kind, das ich von dir hab haben wollen. *Er geht auf den Korb zu.*

GRUSCHE Herr Offizier, es ist meins. Es ist nicht, das ihr sucht.

DER GEFREITE Ich will mir's anschaun.
20 *Er beugt sich über den Korb. Grusche blickt sich ver- zweifelt um.*

GRUSCHE Es ist meins, es ist meins.

DER GEFREITE Feines Linnen.

*Grusche stürzt sich auf ihn, ihn wegzuziehen. Er schleu-
25 dert sie weg und beugt sich wieder über den Korb. Sie blickt sich verzweifelt um, sieht ein großes Holzscheit\*,*    Holzstück
*hebt es in Verzweiflung auf und schlägt den Gefreiten von hinten über den Kopf, so daß er zusammensinkt. Schnell das Kind aufnehmend, läuft sie hinaus.*

30 DER SÄNGER
Und auf der Flucht vor den Panzerreitern
Nach zweiundzwanzigtägiger Wanderung
Am Fuß des Janga-Tau-Gletschers
Nahm Grusche Vachnadze das Kind an Kindes Statt.

35 DIE MUSIKER
Nahm die Hilflose den Hilflosen an Kindes Statt.

*Über einem halbvereisten Bach kauert Grusche Vach-*
*nadze und schöpft dem Kind Wasser mit der hohlen*
*Hand.*

GRUSCHE

Da dich keiner nehmen will                                        5
Muß nun ich dich nehmen
Mußt dich, da kein andrer war
Schwarzer Tag im magern Jahr
Halt mit mir bequemen.

Weil ich dich zu lang geschleppt                                 10
Und mit wunden Füßen
Weil die Milch so teuer war
Wurdest du mir lieb.
(Wollt dich nicht mehr missen.)

Werf dein feines Hemdlein weg                                     15
Wickle dich in Lumpen
Wasche dich und taufe dich
Mit dem Gletscherwasser.
(Mußt es überstehen.)

*Sie hat dem Kind das feine Linnen ausgezogen und es in*         20
*einen Lumpen gewickelt.*

DER SÄNGER
Als Grusche Vachnadze, verfolgt von den Panzerreitern
An den Gletschersteg kam, der zu den Dörfern am
                                  östlichen Abhang     25
Führt
Sang sie das Lied vom morschen Steg, wagte sie zwei
                                  Leben.
*Es hat sich ein Wind erhoben. Aus der Dämmerung ragt*
*der Gletschersteg. Da ein Seil gebrochen ist, hängt er*         30
*halb in den Abgrund. Händler, zwei Männer und eine*

*Frau, stehen unschlüssig vor dem Steg, als Grusche mit
dem Kind kommt. Jedoch fischt der eine Mann mit einer
Stange nach dem hängenden Seil.*

ERSTER MANN Laß dir Zeit, junge Frau, über den Paß
kommst du doch nicht.

GRUSCHE Aber ich muß mit meinem Kleinen nach der Ostseite zu meinem Bruder.

DIE HÄNDLERIN Muß! Was heißt muß! Ich muß hinüber,
weil ich zwei Teppiche in Atum* kaufen muß, die eine
verkaufen muß, weil ihr Mann hat sterben müssen, meine Gute. Aber kann ich, was ich muß, kann sie? Andrej
fischt schon seit zwei Stunden nach dem Seil, und wie
sollen wir es festmachen, wenn er es fischt, frage ich.

ERSTER MANN *horcht:* Sei still, ich glaube, ich höre was.

GRUSCHE *laut:* Der Steg ist nicht ganz morsch. Ich glaub,
ich könnt es versuchen, daß ich hinüberkomm.

DIE HÄNDLERIN Ich würd das nicht versuchen, wenn der
Teufel selber hinter mir her wär. Warum, es ist Selbstmord.

ERSTER MANN *ruft laut:* Haoh!

GRUSCHE Ruf nicht! *Zur Händlerin:* Sag ihm, er soll nicht
rufen.

ERSTER MANN Aber es wird unten gerufen. Vielleicht haben sie den Weg verloren unten.

DIE HÄNDLERIN Und warum soll er nicht rufen? Ist da etwas faul mit dir? Sind sie hinter dir her?

GRUSCHE Dann muß ich's euch sagen. Hinter mir her sind
die Panzerreiter. Ich hab einen niedergeschlagen.

ZWEITER MANN Schafft die Waren weg!

*Die Händlerin versteckt einen Sack hinter einem Stein.*

ERSTER MANN Warum hast du das nicht gleich gesagt? *Zu
den andern:* Wenn die sie zu fassen kriegen, machen sie
Hackfleisch aus ihr!

GRUSCHE Geht mir aus dem Weg, ich muß über den Steg.

DER ZWEITE MANN Das kannst du nicht. Der Abgrund ist
zweitausend Fuß* tief.

---

Eigentl. ägypt.
Urgott; als
Ortsname von
Brecht
erfunden

Altes
Längenmaß;
ein Fuß
entspricht
etwa 30 cm

ERSTER MANN  Nicht einmal, wenn wir das Seil auffischen
könnten, hätte es Sinn. Wir könnten es mit den Händen
halten, aber die Panzerreiter könnten dann auf die glei-
che Weise hinüber.

GRUSCHE  Geht weg!                                                    5

*Rufe aus einiger Entfernung: »Haoh dort oben!«*

DIE HÄNDLERIN  Sie sind ziemlich nah. Aber du kannst
nicht das Kind auf den Steg nehmen. Er bricht beinah
sicher zusammen. Und schau hinunter.

*Grusche blickt in den Abgrund. Von unten kommen*   10
*wieder Rufe der Panzerreiter.*

ZWEITER MANN  Zweitausend Fuß.

GRUSCHE  Aber diese Menschen sind schlimmer.

ERSTER MANN  Du kannst es schon wegen dem Kind nicht.
Riskier dein Leben, wenn sie hinter dir her sind, aber    15
nicht das von dem Kind.

ZWEITER MANN  Sie ist auch noch schwerer mit dem Kind.

DIE HÄNDLERIN  Vielleicht muß sie wirklich hinüber. Gib
es mir, ich versteck es, und du gehst allein auf den Steg.

GRUSCHE  Das tu ich nicht. Wir gehören zusammen. *Zum*   20
*Kind:* ⌐Mitgegangen, mitgehangen.⌐

Tief ist der Abgrund, Sohn
Brüchig der Steg
Aber wir wählen, Sohn
Nicht unsern Weg.
Mußt den Weg gehen                                               25
Den ich weiß für dich
Mußt das Brot essen
Das ich hab für dich.
Müssen die paar Bissen teilen                                    30
Kriegst von vieren drei
Aber ob sie groß sind
Weiß ich nicht dabei.

Ich probier's.

DIE HÄNDLERIN Das heißt Gott versuchen.

*Rufe von unten.*

GRUSCHE Ich bitt euch, werft die Stange weg, sonst fischen
sie das Seil auf und kommen mir nach.

5 *Sie betritt den schwankenden Steg. Die Händlerin
schreit auf, als der Steg zu brechen scheint. Aber Grusche geht weiter und erreicht das andere Ufer.*

ERSTER MANN Sie ist drüben.

DIE HÄNDLERIN *die auf die Knie gefallen war und gebetet*
10 *hat, böse:* Sie hat sich doch versündigt.

*Die Panzerreiter tauchen auf. Der Kopf des Gefreiten ist
verbunden.*

DER GEFREITE Habt ihr eine Person mit einem Kind gesehen?

15 ERSTER MANN *während der zweite Mann die Stange in den
Abgrund wirft:* Ja. Dort ist sie. Und der Steg trägt euch
nicht.

DER GEFREITE Holzkopf, das wirst du mir büßen.

*Grusche, auf dem andern Ufer, lacht und zeigt den Pan-*
20 *zerreitern das Kind. Sie geht weiter, der Steg bleibt zurück. Wind.*

GRUSCHE *sich nach Michel umblickend:* Vor dem Wind
mußt du dich nie fürchten, der ist auch nur ein armer
Hund. Der muß nur die Wolken schieben und friert sel-
25 ber am meisten.

*Es beginnt zu schneien.*

GRUSCHE Und der Schnee, Michel, ist nicht der schlimmste. Er muß nur die kleinen Föhren* zudecken, daß sie    Kiefer
ihm nicht umkommen im Winter. Und jetzt sing ich was
30 auf dich, hör zu! *Sie singt:*

Dein Vater ist ein Räuber
Deine Mutter ist eine Hur
Und vor dir wird sich verbeugen
Der ehrlichste Mann.

Der Sohn des Tigers
Wird die kleinen Pferde füttern
Das Kind der Schlange
Bringt Milch zu den Müttern.

## 3
*In den nördlichen Gebirgen*

DER SÄNGER
Die Schwester wanderte sieben Tage.
Über den Gletscher, hinunter die Hänge wanderte sie.
Wenn ich eintrete im Haus meines Bruders, dachte sie
Wird er aufstehen und mich umarmen.
»Bist du da, Schwester?« wird er sagen.
»Ich erwarte dich schon lang. Dies hier ist meine liebe
                                                   Frau.
Und dies ist mein Hof, mir zugefallen durch die Heirat.
Mit den elf Pferden und einunddreißig Kühen. Setz dich!
Mit deinem Kind setz dich an unsern Tisch und iß.«
Das Haus des Bruders lag in einem lieblichen Tal.
Als die Schwester zum Bruder kam, war sie krank von
                                              der Wanderung.
Der Bruder stand auf vom Tisch.
*Ein dickes Bauernpaar, das sich eben zum Essen gesetzt
hat. Lavrenti Vachnadze hat schon die Serviette um den
Hals, wenn Grusche, von einem Knecht gestützt und
sehr bleich, mit dem Kind eintritt.*
LAVRENTI VACHNADZE Wo kommst du her, Grusche?
GRUSCHE *schwach:* Ich bin über den Janga-Tau-Paß ge-
gangen, Lavrenti.
KNECHT Ich hab sie vor der Heuhütte gefunden. Sie hat ein
Kleines dabei.
Gelblich-    DIE SCHWÄGERIN Geh und striegle den Falben*.
braunes Pferd
             *Knecht ab.*

LAVRENTI  Das ist meine Frau. Aniko.

DIE SCHWÄGERIN  Wir dachten, du bist im Dienst in Nukha.

GRUSCHE  *die kaum stehen kann:* Ja, da war ich.

5  DIE SCHWÄGERIN  War es nicht ein guter Dienst? Wir hör-
ten, es war solch ein guter.

GRUSCHE  Der Gouverneur ist umgebracht worden.

LAVRENTI  Ja, da sollen Unruhen gewesen sein. Deine Tan-
te hat es auch erzählt, erinnerst du dich, Aniko?

10  DIE SCHWÄGERIN  Bei uns hier ist es ganz ruhig. Die Städter
müssen immer irgendwas haben. *Ruft, zur Tür gehend.*
Sosso, Sosso, nimm den Fladen noch nicht aus dem
Ofen, hörst du? Wo steckst du denn? *Rufend ab.*

LAVRENTI  *leise, schnell:* Hast du einen Vater für es? *Als sie*
15  *den Kopf schüttelt.* Ich dachte es mir. Wir müssen etwas
ausfinden. Sie ist eine Fromme.

DIE SCHWÄGERIN  *zurück:* Die Dienstboten! *Zu Grusche:*
Du hast ein Kind?

GRUSCHE  Es ist meins. *Sie sinkt zusammen, Lavrenti rich-*
20  *tet sie auf.*

DIE SCHWÄGERIN  Maria und Josef, sie hat eine Krankheit,
was tun wir?
*Lavrenti will Grusche zur Ofenbank führen. Aniko*
*winkt entsetzt ab, sie weist auf den Sack an der Wand.*

25  LAVRENTI  *bringt Grusche zur Wand:* Setz dich. Setz dich.
Es ist nur die Schwäche.

DIE SCHWÄGERIN  Wenn das nicht der ⌜Scharlach⌝ ist.

LAVRENTI  Da müßten Flecken da sein. Es ist Schwäche, sei
ganz ruhig, Aniko. *Zu Grusche:* Sitzen ist besser, wie?

30  DIE SCHWÄGERIN  Ist das Kind ihrs?

GRUSCHE  Meins.

LAVRENTI  Sie ist auf dem Weg zu ihrem Mann.

DIE SCHWÄGERIN  So. Dein Fleisch wird kalt. *Lavrenti setzt*
*sich und beginnt zu essen.* Kalt bekommt's dir nicht, das
35  Fett darf nicht kalt sein. Du bist schwach auf dem Ma-

gen, das weißt du. *Zu Grusche:* Ist dein Mann nicht in der Stadt, wo ist er dann?

LAVRENTI Sie ist verheiratet überm Berg, sagt sie.

DIE SCHWÄGERIN So, überm Berg. *Setzt sich selber zum Essen.*

GRUSCHE Ich glaub, ihr müßt mich wo hinlegen, Lavrenti.

DIE SCHWÄGERIN *verhört weiter:* Wenn's die Auszehrung* ist, kriegen wir sie alle. Hat dein Mann einen Hof?

GRUSCHE Er ist Soldat.

LAVRENTI Aber vom Vater hat er einen Hof, einen kleinen.

SCHWÄGERIN Ist er nicht im Krieg? Warum nicht?

GRUSCHE *mühsam:* Ja, er ist im Krieg.

SCHWÄGERIN Warum willst du da auf den Hof?

LAVRENTI Wenn er zurückkommt vom Krieg, kommt er auf seinen Hof.

SCHWÄGERIN Aber du willst schon jetzt hin?

LAVRENTI Ja, auf ihn warten.

SCHWÄGERIN *ruft schrill:* Sosso, den Fladen!

GRUSCHE *murmelt fiebrig:* Einen Hof. Soldat. Warten. Setz dich, iß.

SCHWÄGERIN Das ist der Scharlach.

GRUSCHE *auffahrend:* Ja, er hat einen Hof.

LAVRENTI Ich glaube, es ist Schwäche, Aniko. Willst du nicht nach dem Fladen schauen, Liebe?

SCHWÄGERIN Aber wann wird er zurückkommen, wenn doch der Krieg, wie man hört, neu losgebrochen ist? *Watschelt rufend hinaus.* Sosso, wo steckst du? Sosso!

LAVRENTI *steht schnell auf, geht zu Grusche:* Gleich kriegst du ein Bett in der Kammer. Sie ist eine gute Seele, aber erst nach dem Essen.

GRUSCHE *hält ihm das Kind hin:* Nimm!
*Er nimmt es, sich umblickend.*

LAVRENTI Aber ihr könnt nicht lang bleiben. Sie ist fromm, weißt du.

*Grusche fällt zusammen. Der Bruder fängt sie auf.*

Schwind-
sucht, Lungen-
tuberkulose

DER SÄNGER

    Die Schwester war zu krank.

    Der feige Bruder mußte sie beherbergen.

    Der Herbst ging, der Winter kam.

5    Der Winter war lang

    Der Winter war kurz.

    Die Leute durften nichts wissen

    Die Ratten durften nicht beißen

    Der Frühling durfte nicht kommen.

10   *Grusche in der ⌈Geschirrkammer⌉ am Webstuhl\*. Sie*    Maschine zur
    *und das Kind, das am Boden hockt, sind eingehüllt mit*   Herstellung
    *Decken.*                                              von Stoffen
                                                          durch Weben

GRUSCHE *singt beim Weben:*

    ⌈Da machte der Liebe sich auf, zu gehen

15   Da lief die Anverlobte bettelnd ihm nach

    Bettelnd und weinend, weinend und belehrend:

    Liebster mein, Liebster mein

    Wenn du nun ziehst in den Krieg

    Wenn du nun fichtst gegen die Feinde

20   Stürz dich nicht vor den Krieg

    Und fahr nicht hinter dem Krieg

    Vorne ist rotes Feuer

    Hinten ist roter Rauch.

    Halt dich in des Krieges Mitten

25   Halt dich an den Fahnenträger.

    Die ersten sterben immer

    Die letzten werden auch getroffen

    Die in der Mitten kommen nach Haus.⌉

    Michel, wir müssen schlau sein. Wenn wir uns klein

30   machen wie die Kakerlaken\*, vergißt die Schwägerin,   Küchen-
    daß wir im Haus sind. Da können wir bleiben bis zur     schabe, Insekt
    Schneeschmelze. Und wein nicht wegen der Kälte. Arm
    sein und auch noch frieren, das macht unbeliebt.

    *Herein Lavrenti. Er setzt sich zu seiner Schwester.*

35 LAVRENTI Warum sitzt ihr so vermummt wie die Fuhrleu-
    te? Vielleicht ist es zu kalt in der Kammer?

GRUSCHE *nimmt hastig den Schal ab:* Es ist nicht kalt, Lavrenti.

LAVRENTI Wenn es zu kalt wäre, dürftest du mit dem Kind hier nicht sitzen. Da würde Aniko sich Vorwürfe machen. 5

*Pause.*

Orthodoxer
Priester

LAVRENTI Ich hoffe, der Pope* hat dich nicht über das Kind ausgefragt?

GRUSCHE Er hat gefragt, aber ich habe nichts gesagt.

LAVRENTI Das ist gut. Ich wollte über Aniko mit dir reden. 10 Sie ist eine gute Seele, nur sehr, sehr feinfühlig. Die Leute brauchen noch gar nicht besonders zu reden über den Hof, da ist sie schon ängstlich. Sie empfindet so tief, weißt du. Einmal hat die Kuhmagd in der Kirche ein Loch im Strumpf gehabt, seitdem trägt meine liebe Ani- 15 ko zwei Paar Strümpfe für die Kirche. Es ist unglaublich, aber es ist die alte Familie. *Er horcht.* Bist du sicher, daß hier nicht Ratten sind? Da könntet ihr nicht hier wohnen bleiben. *Man hört ein Geräusch wie von Tropfen, die vom Dach fallen.* Was tropft da? 20

GRUSCHE Es muß ein undichtes Faß sein.

LAVRENTI Ja, es muß ein Faß sein. – Jetzt bist du schon ein halbes Jahr hier, nicht? Sprach ich von Aniko? Ich habe ihr natürlich nicht das von dem Panzerreiter erzählt, sie hat ein schwaches Herz. Daher weiß sie nicht, daß du 25 nicht eine Stelle suchen kannst, und daher ihre Bemerkungen gestern. *Sie horchen wieder auf das Fallen der Schneetropfen.* Kannst du dir vorstellen, daß sie sich um deinen Soldaten sorgt? »Wenn er zurückkommt und sie nicht findet?« sagt sie und liegt wach. »Vor dem Früh- 30 jahr kann er nicht kommen«, sage ich. Die Gute. *Die Tropfen fallen schneller.* Wann, glaubst du, wird er kommen, was ist deine Meinung?

*Grusche schweigt.*

LAVRENTI Nicht vor dem Frühjahr, das meinst du doch 35 auch?

*Grusche schweigt.*

LAVRENTI Ich sehe, du glaubst selber nicht mehr, daß er zurückkommt.

*Grusche sagt nichts.*

LAVRENTI Aber wenn es Frühjahr wird und der Schnee schmilzt hier und auf den Paßwegen, kannst du hier nicht mehr bleiben, denn dann können sie dich suchen kommen, und die Leute reden über ein lediges Kind.

*Das Glockenspiel der fallenden Tropfen ist groß und stetig geworden.*

LAVRENTI Grusche, der Schnee schmilzt vom Dach, und es ist Frühjahr.

GRUSCHE Ja.

LAVRENTI *eifrig:* Laß mich dir sagen, was wir machen werden. Du brauchst eine Stelle, wo du hinkannst, und da du ein Kind hast *er seufzt*, mußt du einen Mann haben, daß nicht die Leute reden. Ich habe mich also vorsichtig erkundigt, wie wir einen Mann für dich bekommen können. Grusche, ich habe einen gefunden. Ich habe mit einer Frau gesprochen, die einen Sohn hat, gleich über dem Berg, ein kleiner Hof, sie ist einverstanden.

GRUSCHE Aber ich kann keinen Mann heiraten, ich muß auf Simon Chachava warten.

LAVRENTI Gewiß. Das ist alles bedacht. Du brauchst keinen Mann im Bett, sondern einen Mann auf dem Papier. So einen hab ich gefunden. Der Sohn der Bäuerin, mit der ich einig geworden bin, stirbt gerade. Ist das nicht herrlich? Er macht seinen letzten Schnaufer. Und alles ist, wie wir behauptet haben: »ein Mann überm Berg«! Und als du zu ihm kamst, tat er den letzten Schnaufer, und du wardst eine Witwe. Was sagst du?

GRUSCHE Ich könnte ein Papier mit Stempeln brauchen für Michel.

LAVRENTI ⌈Ein Stempel macht alles aus.⌉ Ohne etwas Schriftliches könnte nicht einmal der Schah* in Persien

Pers. Bezeichnung des Herrschers

behaupten, er ist der Schah. Und du hast einen Unterschlupf.

GRUSCHE Wofür tut die Frau es?

LAVRENTI Vierhundert Piaster.

GRUSCHE Woher hast du die?

LAVRENTI *schuldbewußt:* Anikos Milchgeld.

GRUSCHE Dort wird uns niemand kennen. – Dann mach ich es.

LAVRENTI *steht auf:* Ich laß es gleich die Bäuerin wissen. *Schnell ab.*

GRUSCHE Michel, du machst eine Menge Umstände. Ich bin zu dir gekommen wie der Birnbaum zu den Spatzen. Und weil ein Christenmensch sich bückt und die Brotkruste aufhebt, daß nichts umkommt. Michel, ich wär besser schnell weggegangen an dem Ostersonntag in Nukha. Jetzt bin ich die Dumme.

DER SÄNGER

⌐Der Bräutigam lag auf den Tod⌐, als die Braut ankam.
Des Bräutigams Mutter wartete vor der Tür und trieb sie
                                                zur Eile an.
Die Braut brachte ein Kind mit, der Trauzeuge
                        versteckte es während der Heirat.

*Ein durch eine Zwischenwand geteilter Raum: Auf der einen Seite steht ein Bett. Hinter dem Fliegenschleier liegt starr ein sehr kranker Mann. Hereingerannt auf der anderen Seite kommt die Schwiegermutter, an der Hand zieht sie Grusche herein. Nach ihnen Lavrenti mit dem Kind.*

SCHWIEGERMUTTER Schnell, schnell, sonst kratzt er uns ab, noch vor der Trauung. *Zu Lavrenti:* Aber daß sie schon ein Kind hat, davon war nicht die Rede.

LAVRENTI Was macht das aus? *Auf den Sterbenden.* Ihm kann es gleich sein, in seinem Zustand.

SCHWIEGERMUTTER Ihm! Aber ich überlebe die Schande nicht. Wir sind ehrbare Leute. *Sie fängt an zu weinen.*

3 In den nördlichen Gebirgen

Mein ⌐Jussup⌐ hat es nicht nötig, eine zu heiraten, die schon ein Kind hat.

LAVRENTI Gut, ich leg zweihundert Piaster drauf. Daß der Hof an dich geht, hast du schriftlich, aber das Recht, hier zu wohnen, hat sie für zwei Jahre.

SCHWIEGERMUTTER *ihre Tränen trocknend:* Es sind kaum die Begräbniskosten. Ich hoff, sie leiht mir wirklich eine Hand bei der Arbeit. Und wo ist jetzt der Mönch hin? Er muß mir zum Küchenfenster hinausgekrochen sein. Jetzt kriegen wir das ganze Dorf auf den Hals, wenn sie Wind davon bekommen, daß es mit Jussup zu Ende geht, ach Gott. Ich werd ihn holen, aber das Kind darf er nicht sehn.

LAVRENTI Ich werd sorgen, daß er's nicht sieht, aber warum eigentlich ein Mönch und nicht ein Priester?

SCHWIEGERMUTTER Der ist ebenso gut. Ich hab nur den Fehler gemacht, daß ich ihm die Hälfte von den Gebühren schon vor der Trauung ausgezahlt hab, so daß er hat in die Schenke können. Ich hoff . . . *Sie läuft weg.*

LAVRENTI Sie hat am Priester gespart, die Elende. Einen billigen Mönch genommen.

GRUSCHE Schick mir den Simon Chachava herüber, wenn er doch noch kommt.

LAVRENTI Ja. *Auf den Kranken.* Willst du ihn dir nicht anschauen?

*Grusche, die Michel an sich genommen hat, schüttelt den Kopf.*

LAVRENTI Er rührt sich überhaupt nicht. Hoffentlich sind wir nicht zu spät gekommen.

*Sie horchen auf.*

*Auf der anderen Seite treten Nachbarn ein, blicken sich um und stellen sich an den Wänden auf. Sie beginnen, leise Gebete zu murmeln. Die Schwiegermutter kommt herein mit dem Mönch.*

SCHWIEGERMUTTER *nach ärgerlicher Verwunderung zum*

*Mönch:* Da haben wir's. *Sie verbeugt sich vor den Gä-*
*sten.* Bitte, sich einige Augenblicke zu gedulden. Die
Braut meines Sohnes ist aus der Stadt eingetroffen, und
es wird eine Nottrauung vollzogen werden. *Mit dem*
*Mönch in die Bettkammer.* Ich habe gewußt, du wirst es
ausstreuen. *Zu Grusche:* Die Trauung kann sofort vollzogen werden. Hier ist die Urkunde. Ich und der Bruder
der Braut . . . *Lavrenti versucht sich im Hintergrund zu*
*verstecken, nachdem er schnell Michel wieder von Gru-*
*sche genommen hat. Nun winkt ihn die Schwiegermut-*
*ter weg.* Ich und der Bruder der Braut sind die Trauzeu-
gen.
*Grusche hat sich vor dem Mönch verbeugt. Sie gehen*
*zur Bettstatt. Die Schwiegermutter schlägt den Fliegen-*
*schleier zurück. Der Mönch beginnt auf* ⌈*lateinisch*⌉ *den*
*Trauungstext herunterzuleiern. Währenddem bedeutet*
*die Schwiegermutter Lavrenti, der dem Kind, um es vom*
*Weinen abzuhalten, die Zeremonie zeigen will, unaus-*
*gesetzt, es wegzugeben. Einmal blickt Grusche sich*
*nach dem Kind um, und Lavrenti winkt ihr mit dem*
*Händchen des Kindes zu.*

DER MÖNCH Bist du bereit, deinem Mann ein getreues,
folgsames und gutes Eheweib zu sein und ihm anzuhän-
gen, bis der Tod euch scheidet*?

GRUSCHE *auf das Kind blickend:* Ja.

DER MÖNCH *zum Sterbenden* Und bist du bereit, deinem
Eheweib ein guter, sorgender Ehemann zu sein, bis der
Tod euch scheidet?
*Da der Sterbende nicht antwortet, wiederholt der*
*Mönch seine Frage und blickt sich dann um.*

SCHWIEGERMUTTER Natürlich ist er es. Hast du das »Ja«
nicht gehört?

DER MÖNCH Schön, wir wollen die Ehe für geschlossen
erklären; aber wie ist es ⌈mit der Letzten Ölung⌉?

SCHWIEGERMUTTER Nichts da. Die Trauung war teuer ge-

Redefigur aus
dem christl.
Trauungsritual

nug. Ich muß mich jetzt um die Trauergäste kümmern. *Zu Lavrenti:* Haben wir siebenhundert gesagt?

LAVRENTI Sechshundert. *Er zahlt.* Und ich will mich nicht zu den Gästen setzen und womöglich Bekanntschaften schließen. Also leb wohl, Grusche, und wenn meine verwitwete Schwester einmal mich besuchen kommt, dann hört sie ein »Willkommen« von meiner Frau, sonst werde ich unangenehm.

*Er geht. Die Trauergäste sehen ihm gleichgültig nach, wenn er durchgeht.*

DER MÖNCH Und darf man fragen, was das für ein Kind ist?

SCHWIEGERMUTTER Ist da ein Kind? Ich seh kein Kind. Und du siehst auch keins. Verstanden? Sonst hab ich vielleicht auch allerhand gesehen, was hinter der Schenke vor sich ging. Kommt jetzt.

*Sie gehen in die Stube, nachdem Grusche das Kind auf den Boden gesetzt und zur Ruhe verwiesen hat. Sie wird den Nachbarn vorgestellt.*

SCHWIEGERMUTTER Das ist meine Schwiegertochter. Sie hat den teuren Jussup eben noch lebend angetroffen.

EINE DER FRAUEN Er liegt jetzt schon ein Jahr, nicht? Wie sie meinen Wassili eingezogen haben, war er noch beim Abschied dabei.

ANDERE FRAU So was ist schrecklich für einen Hof, der Mais am Halm und der Bauer im Bett! Es ist eine Erlösung für ihn, wenn er nicht mehr lange leidet. Sag ich.

ERSTE FRAU *vertraulich:* Und am Anfang dachten wir schon, es ist wegen dem Heeresdienst, daß er sich hingelegt hat, Sie verstehen. Und jetzt geht es mit ihm zu Ende!

SCHWIEGERMUTTER Bitte, setzt euch und eßt ein paar Kuchen.

*Die Schwiegermutter winkt Grusche, und die beiden Frauen gehen in die Schlafkammer, wo sie Bleche mit*

*Kuchen vom Boden aufheben. Die Gäste, darunter der*
*Mönch, setzen sich auf den Boden und beginnen eine*
*gedämpfte Unterhaltung.*

EIN BAUER *dem der Mönch die Flasche gereicht hat, die er*
*aus der Sutane\* zog:* Ein Kleines ist da, sagen Sie? Wo 5
kann das dem Jussup passiert sein?

EINE FRAU Jedenfalls hat sie das Glück gehabt, daß sie
noch unter die Haube gekommen ist, wenn er so
schlecht dran ist.

SCHWIEGERMUTTER Jetzt schwatzen sie schon, und dabei 10
fressen sie die Sterbekuchen auf, und wenn er nicht heut
stirbt, kann ich morgen neue backen.

GRUSCHE Ich back sie.

SCHWIEGERMUTTER Wie gestern abend die Reiter vorbei-
gekommen sind und ich hinaus, wer es ist, und komm 15
wieder herein, liegt er da wie ein Toter. Darum hab ich
nach euch geschickt. Es kann nicht mehr lang gehen. *Sie*
*horcht.*

DER MÖNCH Liebe Hochzeits- und Trauergäste! In Rüh-
rung stehen wir an einem Toten- und einem Brautbett, 20
denn die Frau kommt unter die Haube und der Mann
unter den Boden. Der Bräutigam ist schon gewaschen,
und die Braut ist schon scharf. Denn im Brautbett liegt
ein Letzter Wille, und der macht sinnlich. Wie verschie-
den, ihr Lieben, sind doch die Geschicke der Menschen, 25
ach. Der eine stirbt dahin, daß er ein Dach über den
Kopf bekommt, und der andere verehelicht sich, ⌐damit
das Fleisch zu Staub werde⌐, aus dem er gemacht ist,
Amen.

SCHWIEGERMUTTER *hat gehorcht:* Er rächt sich. Ich hätte 30
keinen so billigen nehmen sollen, er ist auch danach. Ein
teurer benimmt sich. In Sura\* ist einer, der steht sogar im
Geruch der Heiligkeit, aber der nimmt natürlich auch
ein Vermögen. So ein Fünfzig-Piaster-Priester hat keine
Würde, und Frömmigkeit hat er eben für fünfzig Piaster 35

Langes Ober-
gewand der
kath. Geistli-
chen

Stadt in der
Nähe von Baku
(Aserbaid-
schan)

und nicht mehr. Wie ich ihn in der Schenke geholt hab, hat er grad eine Rede gehalten und geschrien: »Der Krieg ist aus, fürchtet den Frieden!« Wir müssen hinein.

GRUSCHE *gibt Michel einen Kuchen:* Iß den Kuchen und bleib hübsch still, Michel. Wir sind jetzt respektable Leute.

*Sie tragen die Kuchenbleche zu den Gästen hinaus. Der Sterbende hat sich hinter dem Fliegenschleier aufgerichtet und steckt jetzt seinen Kopf heraus, den beiden nachblickend. Dann sinkt er wieder zurück. Der Mönch hat zwei Flaschen aus der Sutane gezogen und sie dem Bauer gereicht, der neben ihm sitzt. Drei Musiker sind eingetreten, denen der Mönch grinsend zugewinkt hat.*

SCHWIEGERMUTTER *zu den Musikern:* Was wollt ihr mit diesen Instrumenten hier?

MUSIKER Bruder Anastasius hier *auf den Mönch* hat uns gesagt, hier gibt's eine Hochzeit.

SCHWIEGERMUTTER Was, du bringst mir noch dreie auf den Hals? Wißt ihr, daß da ein Sterbender drin liegt?

DER MÖNCH Es ist eine verlockende Aufgabe für einen Künstler. Es könnte ein gedämpfter Freudenmarsch sein oder ein schmissiger Trauertanz.

SCHWIEGERMUTTER Spielt wenigstens, vom Essen seid ihr ja doch nicht abzuhalten.

*Die Musiker spielen eine gemischte Musik. Die Frauen reichen Kuchen.*

DER MÖNCH Die Trompete klingt wie Kleinkindergeplärr, und was trommelst du in alle Welt hinaus, Trommelchen?

DER BAUER NEBEN DEM MÖNCH Wie wär's, wenn die Braut das Tanzbein schwänge?

DER MÖNCH Das Tanzbein oder das Tanzgebein?

DER BAUER NEBEN DEM MÖNCH *singt:*
Fräulein Rundarsch nahm 'nen alten Mann.
Sie sprach: es kommt auf die Heirat an

Und war es ihr zum Scherzen

Ehevertrag

Dann dreht sie sich's aus dem Ehkontrakt*.

Geeigneter sind Kerzen.

*Die Schwiegermutter führt den Betrunkenen hinaus.*
*Die Musik bricht ab. Die Gäste sind verlegen.* 5

DIE GÄSTE *laut:* Habt ihr das gehört: der Großfürst ist zurückgekehrt? – Aber die Fürsten sind doch gegen ihn. –
⌐Oh, der Perserschah, heißt es, hat ihm ein großes Heer
geliehen, damit er Ordnung schaffen kann in Grusinien.
– Wie soll das möglich sein? Der Perserschah ist doch 10
der Feind des Großfürsten! – Aber auch ein Feind der
Unordnung.⌐ – Jedenfalls ist der Krieg aus. Unsere Soldaten kommen schon zurück.

*Grusche läßt das Kuchenblech fallen.*

EINE FRAU *zu Grusche:* Ist dir übel? Das kommt von der 15
Aufregung über den lieben Jussup. Setz dich und ruh
aus, Liebe.

*Grusche steht schwankend.*

DIE GÄSTE Jetzt wird alles wieder, wie es früher gewesen
ist. – Nur, daß die Steuern jetzt hinaufgehen, weil wir 20
den Krieg zahlen müssen.

GRUSCHE *schwach:* Hat jemand gesagt, die Soldaten sind
zurück?

EIN MANN Ich.

GRUSCHE Das kann nicht sein. 25

ERSTER MANN *zu einer Frau:* Zeig den Schal! Wir haben
ihn von einem Soldaten gekauft. Er ist aus Persien.

GRUSCHE *betrachtet den Schal:* Sie sind da.

*Eine lange Pause entsteht. Grusche kniet nieder, wie um*
*die Kuchen aufzusammeln. Dabei nimmt sie das silber-* 30
*ne Kreuz an der Kette aus ihrer Bluse, küßt es und fängt*
*an zu beten.*

SCHWIEGERMUTTER *da die Gäste schweigend nach Gru-*
*sche blicken:* Was ist mit dir? Willst du dich nicht um
unsere Gäste kümmern? Was gehen uns die Dummhei- 35
ten in der Stadt an?

DIE GÄSTE *da Grusche, die Stirn am Boden, verharrt, das Gespräch laut wieder aufnehmend:* Persische Sättel kann man von den Soldaten kaufen, manche tauschen sie gegen Krücken ein. – Von den Oberen können nur die auf einer Seite einen Krieg gewinnen, aber die Soldaten verlieren ihn auf beiden Seiten. – Mindestens ist der Krieg jetzt aus. Das ist schon etwas, wenn sie euch nicht mehr zum Heeresdienst einziehen können. *Der Bauer in der Bettstatt hat sich erhoben. Er lauscht.* Was wir brauchten, ist noch zwei Wochen gutes Wetter. – Unsere Birnbäume tragen dieses Jahr fast nichts.

SCHWIEGERMUTTER *bietet Kuchen an:* Nehmt noch ein wenig Kuchen. Laßt es euch schmecken. Es ist mehr da. *Die Schwiegermutter geht mit dem leeren Blech in die Kammer. Sie sieht den Kranken nicht und beugt sich nach einem vollen Kuchenblech am Boden, als er heiser zu sprechen beginnt.*

DER BAUER Wieviel Kuchen wirst du ihnen noch in den Rachen stopfen? Hab ich einen Geldscheißer? *Die Schwiegermutter fährt herum und starrt ihn entgeistert an. Er klettert hinter dem Fliegenschleier hervor.*

DIE ERSTE FRAU *im anderen Raum freundlich zu Grusche:* Hat die junge Frau jemand im Feld?

DER MANN Da ist es eine gute Nachricht, daß sie zurückkommen, wie?

DER BAUER Glotz nicht. Wo ist die Person, die du mir als Frau aufgehängt hast? *Da er keine Antwort erhält, steigt er aus der Bettstatt und geht schwankend, im Hemd, an der Schwiegermutter vorbei in den andern Raum. Sie folgt ihm zitternd mit dem Kuchenblech.*

DIE GÄSTE *erblicken ihn. Sie schreien auf:* Jesus, Maria und Josef! Jussup! *Alles steht alarmiert auf, die Frauen drängen zur Tür. Grusche, noch auf den Knien, dreht den Kopf herum und starrt auf den Bauern.*

DER BAUER Totenessen, das könnte euch passen. Hinaus, bevor ich euch hinausprügle.

*Die Gäste verlassen in Hast das Haus.*

DER BAUER *düster zu Grusche:* Das ist ein Strich durch deine Rechnung, wie?

*Da sie nichts sagt, dreht er sich um und nimmt einen Maiskuchen vom Blech, das die Schwiegermutter hält.*

DER SÄNGER

O Verwirrung! Die Ehefrau erfährt, daß sie einen Mann hat!

Am Tag gibt es das Kind. In der Nacht gibt es den Mann.
Der Geliebte ist unterwegs Tag und Nacht.
Die Eheleute betrachten einander. Die Kammer ist eng.

*Der Bauer sitzt nackt in einem hohen hölzernen Bade-
zuber, und die Schwiegermutter gießt aus einer Kanne
Wasser nach. In der Bettkammer kauert Grusche bei
Michel, der mit Strohmatten Flicken spielt.*

DER BAUER Das ist ihre Arbeit, nicht die deine. Wo steckt sie wieder?

SCHWIEGERMUTTER *ruft:* Grusche! Der Bauer fragt nach dir.

GRUSCHE *zu Michel:* Da sind noch zwei Löcher, die mußt du noch flicken.

DER BAUER *als Grusche hereintritt:* Schrubb mir den Rük-ken!

GRUSCHE Kann das der Bauer nicht selbst machen?

DER BAUER »Kann das der Bauer nicht selbst machen?«
Nimm die Bürste, zum Teufel! Bist du die Ehefrau oder bist du eine Fremde? *Zur Schwiegermutter:* Zu kalt!

SCHWIEGERMUTTER Ich lauf und hol heißes Wasser.

GRUSCHE Laß mich laufen.

DER BAUER Du bleibst! *Schwiegermutter läuft.* Reib kräftiger! Und stell dich nicht so, du hast schon öfter einen nackten Kerl gesehen. Dein Kind ist nicht aus der Luft gemacht.

GRUSCHE Das Kind ist nicht in Freude empfangen, wenn
der Bauer das meint.

DER BAUER *sieht sich grinsend nach ihr um:* Du schaust
nicht so aus.

5 *Grusche hört auf, ihn zu schrubben, und weicht zurück.*
*Schwiegermutter herein.*

DER BAUER Etwas Rares hast du mir da aufgehängt, einen
Stockfisch* als Ehefrau.

SCHWIEGERMUTTER Ihr fehlt's am guten Willen.

10 DER BAUER Gieß, aber vorsichtig. Au! Ich hab gesagt vorsichtig. *Zu Grusche:* Ich würd mich wundern, wenn mit
dir nicht was los wäre in der Stadt, warum bist du sonst
hier? Aber davon rede ich nicht. Ich habe auch nichts
gegen das Uneheliche gesagt, das du mir ins Haus ge-
15 bracht hast, aber mit dir ist meine Geduld bald zu Ende.
Das ist gegen die Natur. *Zur Schwiegermutter:* Mehr!
*Zu Grusche:* Auch wenn dein Soldat zurückkäme, du
bist verehelicht.

GRUSCHE Ja.

20 DER BAUER Aber dein Soldat kommt nicht mehr, du
brauchst das nicht zu glauben.

GRUSCHE Nein.

DER BAUER Du bescheißt mich. Du bist meine Ehefrau und
bist nicht meine Ehefrau. Wo du liegst, liegt nichts, und
25 doch kann sich keine andere hinlegen. Wenn ich früh
aufs Feld gehe, bin ich todmüd; wenn ich mich abends
niederleg, bin ich wach wie der Teufel. Gott hat dir ein
Geschlecht gemacht, und was machst du? Mein Acker
trägt nicht genug, daß ich mir eine Frau in der Stadt
30 kaufen kann, und da wäre auch noch der Weg. Die Frau
jätet das Feld und macht die Beine auf, so heißt es im
⌈Kalender⌉ bei uns. Hörst du mich?

GRUSCHE Ja. *Leise.* Es ist mir nicht recht, daß ich dich
bescheiße.

35 DER BAUER Es ist ihr nicht recht! Gieße nach! *Schwieger-*
*mutter gießt nach.* Au!

*Wenig
gesprächiger,
langweiliger
Mensch*

DER SÄNGER
　　Wenn sie am Bach saß, das Linnen zu waschen
　　Sah sie sein Bild auf der Flut, und sein Gesicht wurde
　　　　　　　　　　　　　　　　　blässer
Monaten 　　Mit gehenden Monden*.　　　　　　　　　　　　　　5
　　Wenn sie sich hochhob, das Linnen zu wringen
　　Hörte sie seine Stimme vom sausenden Ahorn, und seine
　　　　　　　　　　　　　　　　Stimme ward leiser
　　Mit gehenden Monden.
　　Ausflüchte und Seufzer wurden zahlreicher, Tränen und　10
　　　　　　　　　　　　Schweiß wurden vergossen
　　Mit gehenden Monden wuchs das Kind auf.
　　*An einem Bach hockt Grusche und taucht Linnen in das*
　　*Wasser. In einiger Entfernung stehen ein paar Kinder.*
　　*Grusche spricht mit Michel.*　　　　　　　　　　　　15
GRUSCHE Du kannst spielen mit ihnen, Michel, aber laß
　　dich nicht herumkommandieren, weil du der Kleinste
　　bist.
　　*Michel nickt und geht zu den andern Kindern. Ein Spiel*
　　*entwickelt sich.*　　　　　　　　　　　　　　　　20
DER GRÖSSTE JUNGE Heut ist das Kopf-ab-Spiel. *Zu einem*
　　*Dicken:* Du bist der Fürst und lachst. *Zu Michel:* Du bist
　　der Gouverneur. *Zu einem Mädchen:* Du bist die Frau
　　des Gouverneurs, du weinst, wenn der Kopf abgehauen
　　wird. Und ich schlag den Kopf ab. *Er zeigt sein Holz-* 25
　　*schwert.* Mit dem. Zuerst wird der Gouverneur in den
　　Hof geführt. Voraus geht der Fürst, am Schluß kommt
　　die Gouverneurin.
　　*Der Zug formiert sich, der Dicke geht voraus und lacht.*
　　*Dann kommen Michel und der größte Junge und dann* 30
　　*das Mädchen, das weint.*
MICHEL *bleibt stehen:* Auch Kopf abhaun.
DER GRÖSSTE JUNGE Das tu ich. Du bist der Kleinste. Gou-
　　verneur ist das Leichteste. Hinknien und sich den Kopf
　　abhauen lassen, das ist einfach.　　　　　　　　　　35

MICHEL Auch Schwert haben.

DER GRÖSSTE JUNGE Das ist meins. *Gibt ihm einen Tritt.*

DAS MÄDCHEN *ruft zu Grusche hinüber:* Er will nicht mittun.

GRUSCHE *lacht:* Das Entenjunge ist ein Schwimmer, heißt es.

DER GRÖSSTE JUNGE Du kannst den Fürsten machen, wenn du lachen kannst.

*Michel schüttelt den Kopf.*

DER DICKE JUNGE Ich lache am besten. Laß ihn den Kopf einmal abschlagen, dann schlägst du ihn ab und dann ich.

*Der größte Junge gibt Michel widerstrebend das Holzschwert und kniet nieder. Der Dicke hat sich gesetzt, schlägt sich die Schenkel und lacht aus vollem Hals. Das Mädchen weint sehr laut. Michel schwingt das große Schwert und schlägt den Kopf ab, dabei fällt er um.*

DER GRÖSSTE JUNGE Au! Ich werd dir's zeigen, richtig zuhauen!

*Michel läuft weg, die Kinder ihm nach. Grusche lacht, ihnen nachblickend. Wenn sie sich zurückwendet, steht der Soldat Simon Chachava jenseits des Baches. Er trägt eine abgerissene Uniform.*

GRUSCHE Simon!

SIMON Ist das Grusche Vachnadze?

GRUSCHE Simon!

SIMON *förmlich:* Gott zum Gruß und Gesundheit dem Fräulein.

GRUSCHE *steht fröhlich auf und verbeugt sich tief:* Gott zum Gruß dem Herrn Soldaten. Und gottlob, daß er gesund zurück ist.

SIMON Sie haben bessere Fische gefunden als mich, so haben sie mich nicht gegessen, sagte der Schellfisch.

GRUSCHE Tapferkeit, sagte der Küchenjunge; Glück, sagte der Held.

SIMON Und wie steht es hier? War der Winter erträglich, der Nachbar rücksichtsvoll?

GRUSCHE Der Winter war ein wenig rauh, der Nachbar wie immer, Simon.

SIMON Darf man fragen: hat eine gewisse Person noch die Gewohnheit, das Bein ins Wasser zu stecken beim Wäschewaschen?

GRUSCHE Die Antwort ist »nein«, wegen der Augen im Gesträuch!

SIMON Das Fräulein spricht von Soldaten. Hier steht ein Zahlmeister.

GRUSCHE Sind das nicht zweihundert Piaster?

SIMON Und Logis*.

GRUSCHE *bekommt Tränen in die Augen:* Hinter der Kaserne, unter den Dattelbäumen.

SIMON Genau dort. Ich sehe, man hat sich umgeschaut.

GRUSCHE Man hat.

SIMON Und man hat nicht vergessen.

*Grusche schüttelt den Kopf.*

SIMON So ist die Tür noch in den Angeln, wie man sagt?

*Grusche sieht ihn schweigend an und schüttelt dann wieder den Kopf.*

SIMON Was ist das? Ist etwas nicht in Ordnung?

GRUSCHE Simon Chachava, ich kann nie mehr zurück nach Nukha. Es ist etwas passiert.

SIMON Was ist passiert?

GRUSCHE Es ist so gekommen, daß ich einen Panzerreiter niedergeschlagen habe.

SIMON Da wird Grusche Vachnadze ihren guten Grund gehabt haben.

GRUSCHE Simon Chachava, ich heiße auch nicht mehr, wie ich geheißen habe.

SIMON *nach einer Pause:* Das verstehe ich nicht.

GRUSCHE Wann wechseln Frauen ihren Namen, Simon? Laß es mich dir erklären. Es ist nichts zwischen uns, alles ist gleichgeblieben zwischen uns, das mußt du mir glauben.

SIMON  Wie soll es nichts sein zwischen uns, und doch ist es anders?

GRUSCHE  Wie soll ich dir das erklären, so schnell und mit dem Bach dazwischen, kannst du nicht über die Brücke dort gehen?

SIMON  Vielleicht ist es nicht mehr nötig.

GRUSCHE  Es ist sehr nötig. Komm herüber, Simon, schnell!

SIMON  Will das Fräulein sagen, man ist zu spät gekommen?

*Grusche sieht ihn verzweifelt an, das Gesicht tränenüberströmt. Simon starrt vor sich hin. Er hat ein Holzstück aufgenommen und schnitzt daran.*

DER SÄNGER

⌜Soviel Worte werden gesagt, soviel Worte werden
verschwiegen
Der Soldat ist gekommen. Woher er gekommen ist, sagt
er nicht.
Hört, was er dachte, nicht sagte:
Die Schlacht fing an im Morgengraun, wurde blutig am
Mittag.
Der erste fiel vor mir, der zweite fiel hinter mir, der dritte
neben mir.
Auf den ersten trat ich, den zweiten ließ ich, den dritten
durchbohrte der Hauptmann.
Mein einer Bruder starb an einem Eisen, mein andrer
Bruder starb an einem Rauch.
Feuer schlugen sie aus meinem Nacken, meine Hände
gefroren in den Handschuhen, meine Zehen in den
Strümpfen.
Gegessen hab ich Espenknospen, getrunken hab ich
Ahornbrühe, geschlafen hab ich auf Steinen, im
Wasser.⌝

SIMON Im Gras sehe ich eine Mütze. Ist vielleicht schon
was Kleines da?

GRUSCHE Es ist da, Simon, wie könnt ich es verbergen,
aber wolle dich nicht kümmern, meines ist es nicht.

SIMON Man sagt: wenn der Wind einmal weht, weht er 5
durch jede Ritze. Die Frau muß nichts mehr sagen.
*Grusche sieht in ihren Schoß und sagt nichts mehr.*

DER SÄNGER
Sehnsucht hat es gegeben, gewartet worden ist nicht.
Der Eid ist gebrochen. Warum, wird nicht mitgeteilt. 10
Hört, was sie dachte, nicht sagte:
Als du kämpftest in der Schlacht, Soldat
Der blutigen Schlacht, der bitteren Schlacht
Traf ein Kind ich, das hilflos war
Hatt es abzutun nicht das Herz. 15
Kümmern mußte ich mich um das, was verkommen wär
Bücken mußte ich mich nach den Brotkrumen am Boden
Zerreißen mußte ich mich für das, was nicht mein war
Das Fremde.
Einer muß der Helfer sein. 20
Denn sein Wasser braucht der kleine Baum.
Es verläuft das Kälbchen sich, wenn der Hirte schläft
Und der Schrei bleibt ungehört!

SIMON Gib mir das Kreuz zurück, das ich dir gegeben habe. Oder besser, wirf es in den Bach. *Er wendet sich zum* 25
*Gehen.*

GRUSCHE *ist aufgestanden:* Simon Chachava, geh nicht
weg, es ist nicht meins, es ist nicht meins! *Sie hört die*
*Kinder rufen.* Was ist, Kinder?

STIMMEN Hier sind Soldaten! Sie nehmen den Michel mit! 30
*Grusche steht entgeistert. Auf sie zu kommen zwei Pan-*
*zerreiter, Michel führend.*

PANZERREITER Bist du die Grusche? *Sie nickt.* Ist das dein
Kind?

GRUSCHE Ja. *Simon geht weg.* Simon! 35

PANZERREITER Wir haben den richterlichen Befehl, dieses
Kind, angetroffen in deiner Obhut, in die Stadt zu brin-
gen, da der Verdacht besteht, es ist Michel Abaschwili,
der Sohn des Gouverneurs Georgi Abaschwili und sei-
5  ner Frau Natella Abaschwili. Hier ist das Papier mit den
Siegeln. *Sie führen das Kind weg.*
GRUSCHE *läuft nach, rufend:* Laßt es da, bitte, es ist meins!
DER SÄNGER
Die Panzerreiter nehmen das Kind fort, das teure. Die
10  Unglückliche folgte ihnen in die Stadt, die gefährliche.
Die leibliche Mutter verlangte das Kind zurück. Die
                              Ziehmutter stand vor Gericht;
Wer wird den Fall entscheiden, wem wird das Kind
                                            zuerteilt?
15  Wer wird der Richter sein, ein guter, ein schlechter?
Die Stadt brannte. Auf dem Richterstuhl saß der
⌐Azdak⌐.


4
*Die Geschichte des Richters*

20  DER SÄNGER
Hört nun die Geschichte des Richters:
Wie er Richter wurde, wie er Urteil sprach, was er für ein
                                            Richter ist.
An jenem Ostersonntag des großen Aufstands, als der
25                              Großfürst gestürzt wurde
Und sein Gouverneur Abaschwili, Vater unsres Kindes,
                              den Kopf einbüßte
Fand der Dorfschreiber Azdak im Gehölz einen
              Flüchtling und versteckte ihn in seiner Hütte.
30  *Azdak, zerlumpt und angetrunken, hilft einem alten
Bettler in seine Hütte.*
AZDAK Schnaub nicht, du bist kein Gaul. Und es hilft dir

nicht bei der Polizei, wenn du läufst, wie ein Rotz im
April. Steh, sag ich. *Er fängt den Alten wieder ein, der
weitergetrottet ist, als wolle er durch die Hüttenwand
durchtrotten.* Setz dich nieder und futtre, da ist ein Stück
Käse. *Er kramt aus einer Kiste unter Lumpen einen Käse* 5
*heraus, und der Bettler beginnt gierig zu essen.* Lang
nichts gefressen? *Der Alte brummt.* Warum bist du so
gerannt, du Arschloch? Der Polizist hätte dich überhaupt nicht gesehen.

DER ALTE Mußte. 10

AZDAK Bammel? *Der Alte stiert ihn verständnislos an.*
Schiß? Furcht? Hm. Schmatz nicht wie ein Großfürst
oder eine Sau! Ich vertrag's nicht. Nur einen hochwohl-
geborenen Stinker muß man aushalten, wie Gott ihn ge-
schaffen hat. Dich nicht. Ich hab von einem Oberrichter 15
Händlerviertel
in orientali-
schen Städten
gehört, der beim Speisen im Bazar* gefurzt hat vor lauter
Unabhängigkeit. Wenn ich dir beim Essen zuschau,
kommen mir überhaupt fürchterliche Gedanken. Warum redest du keinen Ton? *Scharf.* ⌈Zeig einmal deine
Hand her!⌉ Hörst du nicht? Du sollst deine Hand her- 20
zeigen. *Der Alte streckt ihm zögernd die Hand hin.*
Weiß. Du bist also gar kein Bettler! Eine Fälschung, ein
wandelnder Betrug! Und ich verstecke dich wie einen
anständigen Menschen vor der Polizei. Warum läufst du
eigentlich, wenn du ein Grundbesitzer bist, denn das bist 25
du, leugne es nicht, ich seh dir's am schuldbewußten
Gesicht ab! *Steht auf.* Hinaus! *Der Alte sieht ihn unsicher an.* Worauf wartest du, Bauernprügler?

DER ALTE Bin verfolgt. Bitte um ungeteilte Aufmerksam-
Vorschlag keit, mache Proposition*. 30

AZDAK Was willst du machen, eine Proposition? Das ist
die Höhe der Unverschämtheit! Er macht eine Proposition! Der Gebissene kratzt sich die Finger blutig, und der
Blutegel macht eine Proposition. Hinaus, sag ich!

DER ALTE Verstehe Standpunkt, Überzeugung. Zahle hun- 35
derttausend Piaster für eine Nacht, ja?

AZDAK  Was, du meinst, du kannst mich kaufen? Für hun-
derttausend Piaster? Ein schäbiges Landgut. Sagen wir
hundertfünfzigtausend. Wo sind sie?

DER ALTE  Habe sie natürlich nicht bei mir. Werden geschickt, hoffe, zweifelt nicht.

AZDAK  Zweifle tief. Hinaus!

*Der Alte steht auf und trottet zur Tür. Eine Stimme von
außen.*

STIMME  Azdak!

*Der Alte macht kehrt, trottet in die entgegengesetzte
Ecke, bleibt stehen.*

AZDAK *ruft:* Ich bin nicht zu sprechen. *Tritt in die Tür.*
Schnüffelst du wieder herum, Schauwa?

POLIZIST SCHAUWA *vorwurfsvoll:* Du hast wieder einen
Hasen gefangen, Azdak. Du hast mir versprochen, es
kommt nicht mehr vor.

AZDAK *streng:* Rede nicht von Dingen, die du nicht verstehst, Schauwa. Der Hase ist ein gefährliches und
schädliches Tier, das die Pflanzen auffrißt, besonders
das sogenannte Unkraut, und deshalb ausgerottet werden muß.

POLIZIST SCHAUWA  Azdak, sei nicht so furchtbar zu mir.
Ich verliere meine Stellung, wenn ich nicht gegen dich
einschreite. Ich weiß doch, du hast ein gutes Herz.

AZDAK  Ich habe kein gutes Herz. Wie oft soll ich dir sagen,
daß ich ein geistiger Mensch bin?

POLIZIST SCHAUWA *listig:* Ich weiß, Azdak. Du bist ein
überlegener Mensch, das sagst du selbst; so frage ich
dich, ein Christ und ein Ungelernter: wenn dem Fürsten
ein Hase gestohlen wird, und ich bin Polizist, was soll
ich da tun mit dem Frevler\*?                    Sünder,
                                                 Gotteslästerer

AZDAK  Schauwa, Schauwa, schäm dich! Da stehst du und
fragst mich eine Frage, und es gibt nichts, was verfüh-
rerischer sein kann als eine Frage. Als wenn du ein Weib
wärst, etwa die Nunowna, das schlechte Geschöpf, und

mir deinen Schenkel zeigst als Nunowna und mich fragst, was soll ich mit meinem Schenkel tun, er beißt mich, ist sie da unschuldig, wie sie tut? Nein. Ich fange einen Hasen, aber du fängst einen Menschen. ⌐Ein Mensch ist nach Gottes Ebenbild gemacht⌐, aber nicht ein Hase, das weißt du. Ich bin ein Hasenfresser, aber du bist ein Menschenfresser, Schauwa, und Gott wird darüber richten. Schauwa, geh nach Haus und bereue. Nein, halt, da ist vielleicht was für dich. *Er blickt nach dem Alten, der zitternd dasteht.* Nein, doch nicht, da ist nix. Geh nach Haus und bereue. *Er schlägt ihm die Tür vor der Nase zu.* Jetzt wunderst du dich, wie? Daß ich dich nicht ausgeliefert habe. Aber ich könnte diesem Vieh nicht einmal eine Wanze ausliefern, es widerstrebt mir. Zitter nicht vor einem Polizisten. So alt und noch so feige. Iß deinen Käse fertig, aber wie ein armer Mann, sonst fassen sie dich doch noch. Muß ich dir auch noch zeigen, wie ein armer Mann sich aufführt? *Er drückt ihn ins Sitzen nieder und gibt ihm das Käsestück wieder in die Hand.* Die Kiste ist der Tisch. Leg die Ellbogen auf'n Tisch, und jetzt umzingelst du den Käse auf'm Teller, als ob der dir jeden Augenblick herausgerissen werden könnte, woher sollst du sicher sein? Nimm das Messer wie eine zu kleine ⌐Sichel⌐ und schau mehr kummervoll auf den Käse, weil er schon entschwindet, wie alles Schöne. *Schaut ihm zu.* Sie sind hinter dir her, das spricht für dich, nur wie kann ich wissen, daß sie sich nicht irren in dir? In Tiflis haben sie einmal einen Gutsbesitzer gehängt, einen Türken*. Er hat ihnen nachweisen können, daß er seine Bauern geviertelt hat und nicht nur halbiert, wie es üblich ist, und Steuern hat er herausgepreßt doppelt wie die andern, sein Eifer war über jeden Verdacht, und doch haben sie ihn gehängt, wie einen Verbrecher, ⌐nur weil er ein Türk war⌐, für was er nix gekonnt hat, eine Ungerechtigkeit. Er ist an den Galgen

Georgien war seit dem 15. Jh. unter pers. und türk. Herrschaft.

4 Die Geschichte des Richters

gekommen ⌐wie der Pontius ins Credo⌐. Mit einem
Wort: ich trau dir nicht.

DER SÄNGER

So gab der Azdak dem alten Bettler ein Nachtlager.
Erfuhr er, daß es der Großfürst selber war, der Würger
Schämte er sich, klagte er sich an, befahl er dem
                                                    Polizisten
Ihn nach Nukha zu führen, vor Gericht, zum Urteil.

*Im Hof des Gerichts hocken drei Panzerreiter und trin-*
*ken. Von einer Säule hängt ein Mann in Richterrobe.*
*Herein Azdak, gefesselt und Schauwa hinter sich schlep-*
*pend.*

AZDAK *ruft aus:* Ich hab dem Großfürsten zur Flucht ver-
holfen, dem Großdieb, dem Großwürger! Ich verlange
meine strenge Aburteilung in öffentlicher Verhandlung,
im Namen der Gerechtigkeit!

ERSTER PANZERREITER Was ist das für ein komischer Vogel?

POLIZIST SCHAUWA Das ist unser Schreiber Azdak.

AZDAK Ich bin der Verächtliche, der Verräterische, der Gezeichnete! Reportier*, Plattfuß, ich hab verlangt, daß ich    (franz.)
in Ketten in die Hauptstadt gebracht werd, weil ich ver-       Berichte
sehentlich den Großfürsten, beziehungsweise Großgau-
ner, beherbergt habe, wie mir erst nachträglich klarge-
worden ist. Siehe, der Gezeichnete klagt sich selber an!
Reportier, wie ich dich gezwungen hab, daß du mit mir
die halbe Nacht hierherläufst, damit alles aufgeklärt
wird.

POLIZIST SCHAUWA Alles unter Drohungen, das ist nicht
schön von dir, Azdak.

AZDAK Halt das Maul, Schauwa, das verstehst du nicht.
Eine ⌐neue Zeit⌐ ist gekommen, die über dich hinweg-
donnern wird, du bist erledigt, Polizisten werden ausge-
merzt, pfft. Alles wird untersucht, aufgedeckt. Da meldet sich einer lieber von selber, warum, er kann dem

Volk nicht entrinnen. *Zu Schauwa:* Reportier, wie ich durch die Schuhmachergasse geschrien hab. *Er macht es wieder mit großer Geste vor, auf die Panzerreiter schielend.* »Ich hab den Großgauner entrinnen lassen aus Unwissenheit, zerreißt mich, Brüder!« Damit ich allem  5
gleich zuvorkomm.

ERSTER PANZERREITER Und was haben sie dir geantwortet?

SCHAUWA Sie haben ihn getröstet in der Schlächtergasse und sich krank gelacht über ihn in der Schuhmacher-  10
gasse, das war alles.

AZDAK Aber bei euch ist's anders, ich weiß, ihr seid eisern. Brüder, wo ist der Richter, ich muß untersucht werden.

ERSTER PANZERREITER *zeigt auf den Gehenkten:* Hier ist der Richter. Und hör auf, uns zu brüdern, auf dem Ohr  15
sind wir empfindlich heut abend.

AZDAK »Hier ist der Richter!« Das ist eine Antwort, die man in Grusinien noch nie gehört hat. Städter, wo ist seine Exzellenz, der Herr Gouverneur? *Er zeigt auf den Boden.* Hier ist seine Exzellenz, Fremdling. Wo ist der  20
Obersteuereintreiber? Der ⌐Profos⌐ Werber? Der Patriarch*? Der Polizeihauptmann? Hier, hier, hier, alle hier. Brüder, das ist es, was ich mir von euch erwartet habe.

DER ZWEITE PANZERREITER Halt! Was hast du dir da erwartet, Vogel?  25

AZDAK Was in Persien passierte, Brüder, was in Persien passierte.

DER ZWEITE PANZERREITER Und was passierte denn in Persien?

AZDAK Vor vierzig Jahren aufgehängt, alle. Wesire*, Steu-  30
ereintreiber. Mein Großvater, ein merkwürdiger Mensch, hat es gesehen. Drei Tage lang, überall.

DER ZWEITE PANZERREITER Und wer regierte, wenn der Wesir gehängt war?

AZDAK Ein Bauer.  35

Geistliches
Oberhaupt der
orthod. Kirche

Minister in
islam. Monar-
chien

DER ZWEITE PANZERREITER Und wer kommandierte das Heer?

AZDAK Ein Soldat, Soldat.

DER ZWEITE PANZERREITER Und wer zahlte die Löhnung aus?

AZDAK Ein Färber*, ein Färber zahlte die Löhnung aus.

*Arbeiter, der Textilien einfärbt*

DER ZWEITE PANZERREITER War es nicht vielleicht ein ⌈Teppichweber⌉?

DER ERSTE PANZERREITER Und warum ist das alles passiert, du Persischer?

AZDAK »Warum ist das passiert?« Ist da ein besonderer Grund nötig? Warum kratzt du dich, Bruder? Krieg! Zu lang Krieg! Und keine Gerechtigkeit! Mein Großvater hat das Lied mitgebracht, wie es dort gewesen ist. Ich und mein Freund, der Polizist, werden es euch vorsingen. *Zu Schauwa:* Und halt den Strick gut, das paßt dazu. *Er singt, von Schauwa am Strick gehalten:*
Warum bluten unsere Söhne nicht mehr, weinen unsere
                                        Töchter nicht mehr?
Warum haben Blut nur mehr die Kälber im
                                        Schlachthaus?
Warum Tränen nur mehr gegen Morgen die Weiden am
                                        Urmisee*?

*Eigentl. Urmiasee, in Nordpersien*

Der Großkönig muß eine neue Provinz haben, der Bauer
            muß sein Milchgeld hergeben.
Damit das Dach der Welt* erobert wird, werden die
            Hüttendächer abgetragen.

*Eigentl. Bezeichnung für das Himalaja-Gebirge*

Unsere Männer werden in alle Himmelsrichtungen
verschleppt, damit die Oberen zu Hause tafeln können.
Die Soldaten töten einander, die Feldherrn grüßen
                                        einander.
Der Witwe Steuergroschen wird angebissen, ob er echt
            ist. Die Schwerter zerbrechen.
Die Schlacht ist verloren, aber die Helme sind bezahlt
                                        worden.

Ist es so? Ist es so?

POLIZIST SCHAUWA Ja, ja, ja, ja, ja, es ist so.

AZDAK Wollt ihr es zu Ende hören?

*Der erste Panzerreiter nickt.*

DER ZWEITE PANZERREITER *zum Polizisten:* Hat er dir das Lied beigebracht?

POLIZIST SCHAUWA Jawohl. Nur meine Stimme ist nicht gut.

DER ZWEITE PANZERREITER Nein. *Zu Azdak:* Sing nur weiter.

AZDAK Die zweite Strophe behandelt den Frieden. *Singt:*
Die Ämter sind überfüllt, die Beamten sitzen bis auf die
        Straße.
Die Flüsse treten über die Ufer und verwüsten die Felder.
Die ihre Hosen nicht selber runterlassen können,
        regieren Reiche.
Sie können nicht auf vier zählen, fressen aber acht
        Gänge.
Die Maisbauern blicken sich nach Kunden um, sehen
        nur Verhungerte.
Die Weiber gehen von den Webstühlen in Lumpen.
Ist es so? Ist es so?

POLIZIST SCHAUWA Ja, ja, ja, ja, ja, es ist so.

AZDAK
Darum bluten unsere Söhne nicht mehr, weinen unsere
        Töchter nicht mehr.
Darum haben Blut nur mehr die Kälber im
        Schlachthaus.
Tränen nur mehr gegen Morgen die Weiden am Urmisee.

DER ERSTE PANZERREITER Willst du dieses Lied hier in der Stadt singen?

AZDAK Was ist falsch daran?

DER ERSTE PANZERREITER Siehst du die Röte dort? *Azdak blickt sich um. Am Himmel ist eine Brandröte.* Das ist in der Vorstadt. Teppichweber haben auch die »persische

Krankheit« bekommen und gefragt, ob der Fürst Kazbeki nicht auch zu viele Gänge frißt. Und heute morgen
haben sie dann den Stadtrichter aufgeknüpft. Aber wir
haben sie zu Brei geschlagen für hundert Piaster pro
5  Teppichweber, verstehst du?

AZDAK *nach einer Pause:* Ich verstehe. *Er blickt sie scheu
an und schleicht weg, zur Seite, setzt sich auf den Boden,
den Kopf in den Händen.*

DER ERSTE PANZERREITER *nachdem alle getrunken haben,*
10  *zum dritten:* Paß mal auf, was jetzt kommt.
*Der erste und zweite Panzerreiter gehen auf Azdak zu,
versperren ihm den Ausgang.*

SCHAUWA Ich glaube nicht, daß er ein direkt schlechter
Mensch ist, meine Herren. Ein bissel Hühnerstehlen,
15  und hier und da ein Hase vielleicht.

DER ZWEITE PANZERREITER *tritt zu Azdak:* Du bist herge-
kommen, daß du im Trüben fischen* kannst, wie?

AZDAK *schaut zu ihm auf:* Ich weiß nicht, warum ich her-
gekommen bin.

20  DER ZWEITE PANZERREITER Bist du einer, der es mit den
Teppichwebern hält?
*Azdak schüttelt den Kopf.*

DER ZWEITE PANZERREITER Und was ist mit diesem Lied?

AZDAK Von meinem Großvater. Ein dummer, unwissen-
25  der Mensch.

DER ZWEITE PANZERREITER Richtig. Und was mit dem
Färber, der die Löhnung auszahlte?

AZDAK Das war in Persien.

DER ERSTE PANZERREITER Und was mit der Selbstbeschul-
30  digung, daß du den Großfürsten nicht mit eigenen Händen gehängt hast?

AZDAK Sagte ich euch nicht, daß ich ihn habe laufen lassen?

SCHAUWA Ich bezeuge es. Er hat ihn laufen lassen.

35  *Die Panzerreiter schleppen den schreienden Azdak zum*

Redensart.
Bedeutet:
unklare
Zustände zum
eigenen
Vorteil
ausnutzen

*Galgen. Dann lassen sie ihn los und lachen ungeheuer.*
*Azdak stimmt in das Lachen ein und lacht am lautesten.*
*Dann wird er losgebunden. Alle beginnen zu trinken.*
*Herein der fette Fürst Kazbeki mit einem jungen Mann.*
ERSTER PANZERREITER *zu Azdak:* Da kommt deine neue 5
Zeit.

*Neues Gelächter.*

DER FETTE FÜRST Und was gäbe es hier wohl zu lachen,
meine Freunde? Erlaubt mir ein ernstes Wort. Die Fürsten Grusiniens haben gestern morgen die kriegslüsterne 10
Regierung des Großfürsten gestürzt und seine Gouverneure beseitigt. Leider ist der Großfürst selber entkommen. In dieser schicksalhaften Stunde* haben unsere
Teppichweber, diese ewig Unruhigen, sich nicht ent-
blödet*, einen Aufstand anzuzetteln und den allseits be- 15
liebten Stadtrichter, unsern teuren Illo Orbeliani, zu
hängen. Ts, ts, ts. Meine Freunde, wir brauchen Frieden,
Frieden, Frieden in Grusinien. Und Gerechtigkeit! Hier
bringe ich euch den lieben Bizergan Kazbeki, meinen
Neffen, ein begabter Mensch, der soll der neue Richter 20
werden. Ich sage: das Volk hat die Entscheidung.

ERSTER PANZERREITER Heißt das, wir wählen den Richter?

DER FETTE FÜRST So ist es. Das Volk stellt einen begabten
Menschen auf. Beratet euch, Freunde. *Während die*
*Panzerreiter die Köpfe zusammenstecken.* Sei ganz ru- 25
hig, Füchschen, die Stelle hast du. Und wenn erst der
Großfürst geschnappt ist, brauchen wir auch dem Pack
nicht mehr in den Arsch zu kriechen.

DIE PANZERREITER *unter sich:* Sie haben die Hosen voll,
weil sie den Großfürsten noch nicht geschnappt haben. – 30
Das verdanken wir diesem Dorfschreiber, er hat ihn laufen lassen. – Sie fühlen sich noch nicht sicher, da heißt es
»meine Freunde« und »das Volk hat die Entscheidung«.
– Jetzt will er sogar Gerechtigkeit für Grusinien. – Aber
eine Hetz ist eine Hetz, und das wird eine Hetz. – Wir 35

4 Die Geschichte des Richters

werden den Dorfschreiber fragen, der weiß alles über Gerechtigkeit. He, Halunke, würdest du den Neffen als Richter haben wollen?

AZDAK Meint ihr mich?

DER PANZERREITER *fährt fort:* Würdest du den Neffen als Richter haben wollen?

AZDAK Fragt ihr mich? Ihr fragt nicht mich, wie?

PANZERREITER Warum nicht? Alles für einen Witz!

AZDAK Ich versteh euch so, daß ihr ihn bis aufs Mark prüfen wollt. Hab ich recht? Hättet ihr einen Verbrecher vorrätig, daß der Kandidat zeigen kann, was er kann, einen gewiegten?

DRITTER PANZERREITER Laß sehn. Wir haben die zwei Doktoren von der Gouverneurssau unten. Die nehmen wir.

AZDAK Halt, das geht nicht. Ihr dürft nicht richtige Verbrecher nehmen, wenn ihr nicht wißt, ob der Richter bestallt wird. Er kann ein Ochse sein, aber er muß bestallt sein, sonst wird das Recht verletzt, das ein sehr empfindliches Wesen ist, etwa wie die Milz, die niemals mit Fäusten geschlagen werden darf, sonst tritt der Tod ein. Ihr könnt die beiden hängen, dadurch kann niemals das Recht verletzt werden, weil kein Richter dabei war. Recht muß immer in vollkommenem Ernst gesprochen werden, es ist so blöd. Wenn zum Beispiel ein Richter eine Frau verknackt, weil sie für ihr Kind ein Maisbrot gestohlen hat, und er hat seine Robe nicht an oder er kratzt sich beim Urteil, so daß mehr als ein Drittel von ihm entblößt ist, das heißt, er muß sich dann am Oberschenkel kratzen, dann ist das Urteil eine Schande und das Recht ist verletzt. Eher noch könnte eine Richterrobe und ein Richterhut ein Urteil sprechen als ein Mensch ohne das alles. Das Recht ist weg wie nix, wenn nicht aufgepaßt wird. Ihr würdet nicht eine Kanne Wein ausprobieren, indem ihr sie einem Hund zu saufen gebt, warum, dann ist der Wein weg.

ERSTER PANZERREITER Was schlägst du also vor, du ⌜Haar-
spalter⌝?

AZDAK Ich mache euch den Angeklagten. Ich weiß auch
schon, was für einen. *Er sagt ihnen etwas ins Ohr.*

ERSTER PANZERREITER Du?

*Alle lachen ungeheuer.*

DER FETTE FÜRST Was habt ihr entschieden?

ERSTER PANZERREITER Wir haben entschieden, ⌜wir machen eine Probe⌝. Unser guter Freund hier wird den Angeklagten spielen, und hier ist ein Richterstuhl für den
Kandidaten.

DER FETTE FÜRST Das ist ungewöhnlich, aber warum
nicht? *Zum Neffen:* Eine Formsache, Füchschen. Was
hast du gelernt, wer ist gekommen, der Langsamläufer
oder der Schnelläufer?

DER NEFFE Der Leisetreter, Onkel Arsen.

*Der Neffe setzt sich auf den Stuhl, der fette Fürst stellt
sich hinter ihn. Die Panzerreiter setzen sich auf die Treppe, und herein mit dem unverkennbaren Gang des
Großfürsten läuft der Azdak.*

AZDAK Ist hier irgendwer, der mich kennt? Ich bin der
Großfürst.

DER FETTE FÜRST Was ist er?

DER ZWEITE PANZERREITER Der Großfürst. Er kennt ihn
wirklich.

DER FETTE FÜRST Gut.

DER ERSTE PANZERREITER Los mit der Verhandlung.

AZDAK Höre, ich bin angeklagt wegen Kriegsstiftung. Lä-
cherlich. Sage, lächerlich, genügt das? Wenn nicht ge-
nügt, habe Anwälte mitgebracht, glaube fünfhundert.
*Er zeigt hinter sich, tut, als wären viele Anwälte um ihn.*
Benötige sämtliche vorhandenen Saalsitze für Anwälte.
*Die Panzerreiter lachen; der fette Fürst lacht mit.*

DER NEFFE *zu den Panzerreitern:* Wünscht ihr, daß ich den
Fall verhandle? Ich muß sagen, daß ich ihn zumindest

etwas ungewöhnlich finde, vom geschmacklichen Standpunkt aus, meine ich.

ERSTER PANZERREITER Geh los.

DER FETTE FÜRST *lächelnd:* Verknall ihn, Füchschen.

5 DER NEFFE Schön. Volk von Grusinien contra Großfürst. Was haben Sie vorzubringen, Angeklagter?

AZDAK Allerhand. Habe natürlich selber gelesen, daß Krieg verloren. Habe Krieg seinerzeit auf Anraten von Patrioten wie Onkel Kazbeki erklärt. Verlange Onkel
10 Kazbeki als Zeugen.

DER FETTE FÜRST *zu den Panzerreitern, leutselig:* Eine tolle Type. Was?

DER NEFFE Antrag abgelehnt. Sie können natürlich nicht angeklagt werden, weil Sie einen Krieg erklärt haben,
15 was jeder Herrscher hin und wieder zu tun hat, sondern weil Sie ihn schlecht geführt haben.

AZDAK Unsinn. Habe ihn überhaupt nicht geführt. Habe ihn führen lassen. Habe ihn führen lassen von Fürsten. Vermasselten ihn natürlich.

20 DER NEFFE Leugnen Sie etwa, den Oberbefehl gehabt zu haben?

AZDAK Keineswegs. Habe immer Oberbefehl. Schon bei Geburt Amme angepfiffen. Erzogen, auf Abtritt Scheiße zu entlassen. Gewohnt, zu befehlen. Habe immer Be-
25 amten befohlen, meine Kasse zu bestehlen. Offiziere prügeln Soldaten nur, wenn befehle; Gutsherren schlafen mit Weibern von Bauern nur, wenn strengstens befehle. Onkel Kazbeki hier hat Bauch nur auf meinen Befehl.

30 DIE PANZERREITER *klatschen:* Er ist gut. Hoch der Großfürst!

DER FETTE FÜRST Füchschen, antwort ihm! Ich bin bei dir.

DER NEFFE Ich werde ihm antworten, und zwar der Würde des Gerichts entsprechend. Angeklagter, wahren Sie die
35 Würde des Gerichts.

AZDAK Einverstanden. Befehle Ihnen, mit Verhör fortzu-
fahren.

DER NEFFE Haben mir nichts zu befehlen. Behaupten also,
Fürsten haben Sie gezwungen, Krieg zu erklären. Wie
können Sie dann behaupten, Fürsten hätten Krieg ver- 5
masselt?

AZDAK Nicht genug Leute geschickt, Gelder veruntreut,
kranke Pferde gebracht, bei Angriff in Bordell gesoffen.
Beantrage Onkel als Zeugen.

DER NEFFE Wollen Sie die ungeheuerliche Behauptung auf- 10
stellen, daß die Fürsten dieses Landes nicht gekämpft
haben?

Verträge über
Kriegsliefe-
rungen AZDAK Nein. Fürsten kämpften. Kämpften um Kriegslie-
ferungskontrakte*.

DER FETTE FÜRST *springt auf:* Das ist zuviel. Der Kerl redet 15
wie ein Teppichweber.

AZDAK Wirklich? Sage nur Wahrheit!

DER FETTE FÜRST Aufhängen! Aufhängen!

ERSTER PANZERREITER Immer ruhig. Geh weiter, Hoheit.

DER NEFFE Ruhe! Verkündige jetzt Urteil: müssen aufge- 20
hängt werden. Am Hals. Haben Krieg verloren.

DER FETTE FÜRST *hysterisch:* Aufhängen! Aufhängen!
Aufhängen!

AZDAK Junger Mann, rate Ihnen ernsthaft, nicht in Öffent-

(engl. »clipped
speech«)
schnelle, abge-
hackte Sprech-
weise lichkeit in geklippte, zackige Sprechweise* zu verfallen. 25
Können nicht angestellt werden als Wachhund, wenn
heulen wie Wolf. Kapiert?

DER FETTE FÜRST Aufhängen!

AZDAK Wenn Leuten auffällt, daß Fürsten selbe Sprache
sprechen wie Großfürst, hängen sie noch Großfürst und 30

Hebe Urteil auf Fürsten auf. Kassiere übrigens Urteil*. Grund: Krieg verloren, aber nicht für Fürsten. Fürsten haben ihren Krieg
gewonnen. Haben sich 3 863 000 Piaster für Pferde bezahlen lassen, die nicht geliefert.

DER FETTE FÜRST Aufhängen! 35

4 Die Geschichte des Richters

ADZAK 8 240 000 Piaster für Verpflegung von Mannschaft, die nicht aufgebracht.

DER FETTE FÜRST Aufhängen!

AZDAK Sind also Sieger. Krieg nur verloren für Grusinien, als welches nicht anwesend vor diesem Gericht.

DER FETTE FÜRST Ich glaube, das ist genug, meine Freunde. *Zu Azdak:* Du kannst abtreten, Galgenvogel. *Zu den Panzerreitern:* Ich denke, ihr könnt jetzt den neuen Richter bestätigen, meine Freunde.

ERSTER PANZERREITER Ja, das können wir. Holt den Richterrock herunter. *Einer klettert auf den Rücken des andern und zieht dem Gehenkten den Rock ab.* Und jetzt *zum Neffen* geh du weg, daß auf den richtigen Stuhl der richtige Arsch kommt. *Zu Azdak:* Tritt du vor, begib dich auf den Richterstuhl, setz dich hinauf, Mensch. *Der Azdak geht zum Stuhl, verbeugt sich und setzt sich nieder.* Immer war der Richter ein Lump, so soll jetzt ein Lump der Richter sein. *Der Richterrock wird ihm übergelegt, ein Flaschenkorb aufgesetzt.* ⌜Schaut, was für ein Richter!⌝

DER SÄNGER

Da war das Land im Bürgerkrieg, der Herrschende
unsicher.

Da wurde der Azdak zum Richter gemacht von den
Panzerreitern.

Da war der Azdak Richter für zwei Jahre.

*Der Sänger zusammen mit seinen Musikern*

Als die großen Feuer brannten und in Blut die Städte
standen

Aus der Tiefe krochen Spinn und Kakerlak

Vor dem Schloßtor stand ein Schlächter

Am Altar ein Gottverächter

Und es saß im Rock des Richters der Azdak.

*Auf dem Richterstuhl sitzt der Azdak, einen Apfel schälend. Schauwa kehrt mit einem Besen das Lokal. Auf der*

*einen Seite ein Invalide im Rollstuhl, der angeklagte*
*Arzt und ein Hinkender in Lumpen. Auf der anderen*
*Seite ein junger Mann, der Erpressung angeklagt. – Ein*
*Panzerreiter hält Wache mit der ⌐Standarte⌐ der Panzer-*
*reiter.*

AZDAK In Anbetracht der vielen Fälle behandelt der Gerichtshof heute immer zwei Fälle gleichzeitig. Bevor ich
beginne, eine kurze Mitteilung: ich nehme. *Er streckt die*
*Hand aus. Nur der Erpresser zieht Geld und gibt ihm.*
Ich behalte mir vor, eine Partei hier wegen Nichtachtung
des Gerichtshofes *er blickt auf den Invaliden* in Strafe zu
nehmen. *Zum Arzt:* Du bist ein Arzt, und du *zum In-*
*validen* klagst ihn an. Ist der Arzt schuld an deinem Zustand?

DER INVALIDE Jawohl. Ich bin vom Schlag getroffen worden wegen ihm.

AZDAK Das wäre Nachlässigkeit im Beruf.

DER INVALIDE Mehr als Nachlässigkeit. Ich habe dem
Menschen Geld für sein Studium geliehen. Er hat bis
heute nichts zurückgezahlt, und als ich hörte, daß er
Patienten gratis behandelt, habe ich den Schlaganfall
bekommen.

AZDAK Mit Recht. *Zum Hinkenden:* Und was willst du
hier?

DER HINKENDE Ich bin der Patient, Euer Gnaden.

AZDAK Er hat wohl dein Bein behandelt?

DER HINKENDE Nicht das richtige. Das Rheuma hatte ich
am linken, operiert worden bin ich am rechten, darum
hinke ich jetzt.

AZDAK Und das war gratis?

DER INVALIDE Eine Fünfhundert-Piaster-Operation gratis! Für nichts. Für ein »Vergelt's Gott«. Und ich habe
dem Menschen das Studium bezahlt! *Zum Arzt:* Hast du
auf der Schule gelernt, umsonst zu operieren?

DER ARZT Euer Gnaden, es ist tatsächlich üblich, vor einer

Operation das Honorar zu nehmen, da der Patient vor der Operation willfähriger zahlt als danach, was menschlich verständlich ist. In dem vorliegenden Fall glaubte ich, als ich zur Operation schritt, daß mein Diener das Honorar bereits erhalten hätte. Darin täuschte ich mich.

DER INVALIDE Er täuschte sich! Ein guter Arzt täuscht sich nicht! Er untersucht, bevor er operiert.

AZDAK Das ist richtig. *Zu Schauwa:* Um was handelt es sich bei dem anderen Fall, Herr Öffentlicher Ankläger?

SCHAUWA *eifrig kehrend:* Erpressung.

DER ERPRESSER Hoher Gerichtshof, ich bin unschuldig. Ich habe mich bei dem betreffenden Grundbesitzer nur erkundigen wollen, ob er tatsächlich seine Nichte vergewaltigt hat. Er klärte mich freundlichst auf, daß nicht, und gab mir das Geld nur, damit ich meinen Onkel Musik studieren lassen kann.

AZDAK Aha! *Zum Arzt:* Du hingegen, Doktor, kannst für dein Vergehen keinen Milderungsgrund anführen, wie?

DER ARZT Höchstens, ⌈daß Irren menschlich ist⌉.

AZDAK Und du weißt, daß ein guter Arzt verantwortungsbewußt ist, wenn es sich um Geldangelegenheiten handelt? Ich hab von einem Arzt gehört, daß er aus einem verstauchten Finger tausend Piaster gemacht hat, indem er herausgefunden hat, es hätte mit dem Kreislauf zu tun, was ein schlechterer Arzt vielleicht übersehen hätte, und ein anderes Mal hat er durch eine sorgfältige Behandlung eine mittlere Galle zu einer Goldquelle gemacht. Du hast keine Entschuldigung, Doktor. Der Getreidehändler Uxu hat seinen Sohn Medizin studieren lassen, damit er den Handel erlernt, so gut sind die medizinischen Schulen. *Zum Erpresser:* Wie ist der Name des Grundbesitzers?

SCHAUWA Er wünscht nicht genannt zu werden.

AZDAK Dann spreche ich die Urteile. Die Erpressung wird

vom Gericht als bewiesen betrachtet, und du *zum Invaliden* wirst zu tausend Piaster Strafe verurteilt. Wenn du einen zweiten Schlaganfall bekommst, muß dich der Doktor gratis behandeln, eventuell amputieren. *Zum Hinkenden:* Du bekommst als Entschädigung eine Flasche ⌜Franzbranntwein⌝ zugesprochen. *Zum Erpresser:* Du hast die Hälfte deines Honorars an den Öffentlichen Ankläger abzuführen dafür, daß das Gericht den Namen des Grundbesitzers verschweigt, und außerdem wird dir der Rat erteilt, Medizin zu studieren, da du dich für diesen Beruf eignest. Und du, Arzt, wirst wegen unverzeihlichen Irrtums in deinem Fach freigesprochen. Die nächsten Fälle!

DER SÄNGER MIT SEINEN MUSIKERN

Ach, was willig, ist nicht billig, und was teuer, nicht
        geheuer
Und das Recht ist ⌜eine Katze im Sack⌝.
Darum bitten wir 'nen Dritten, daß er schlichtet und's
        uns richtet
Und das macht uns für 'nen Groschen der Azdak.
*Aus einer Karawanserei an der Heerstraße kommt der Azdak, gefolgt von dem Wirt, dem langbärtigen Greis. Dahinter wird vom Knecht und von Schauwa der Richterstuhl geschleppt. Ein Panzerreiter nimmt Aufstellung mit der Standarte der Panzerreiter.*

AZDAK Stellt ihn hierher. Da hat man wenigstens Luft und etwas Zug vom Zitronenwäldchen drüben. Der Justiz tut es gut, es im Freien zu machen. ⌜Der Wind bläst ihr die Röcke hoch, und man kann sehn, was sie drunter hat.⌝ Schauwa, wir haben zuviel gegessen. Diese Inspektionsreisen sind anstrengend. Es handelt sich um deine Schwiegertochter?

DER WIRT Euer Gnaden, es handelt sich um die Familienehre. Ich erhebe Klage an Stelle meines Sohnes, der in Geschäften überm Berg ist. Dies ist der Knecht, der sich vergangen hat, und hier ist meine bedauernswerte Schwiegertochter.

*Die Schwiegertochter, eine üppige Person, kommt. Sie ist verschleiert.*

5 AZDAK *setzt sich:* Ich nehme. *Der Wirt gibt ihm seufzend Geld.* So, die Formalitäten sind damit geordnet. Es handelt sich um Vergewaltigung?

DER WIRT Euer Gnaden, ich überraschte den Burschen im Pferdestall, wie er unsere Ludowika eben ins Stroh legte.

10 AZDAK Ganz richtig, der Pferdestall. Wunderbare Pferde. Besonders ein kleiner Falbe gefiel mir.

DER WIRT Natürlich nahm ich, an Stelle meines Sohnes, Ludowika sofort ins Gebet.

AZDAK *ernst:* Ich sagte, er gefiel mir.

15 DER WIRT *kalt:* Wirklich? – Ludowika gestand mir, daß der Knecht sie gegen ihren Willen beschlafen habe.

AZDAK Nimm den Schleier ab, Ludowika. *Sie tut es.* Ludowika, du gefällst dem Gerichtshof. Berichte, wie es war.

20 LUDOWIKA *einstudiert:* Als ich den Stall betrat, das neue Fohlen anzusehen, sagte der Knecht zu mir unaufgefordert: »Es ist heiß heute«, und legte mir die Hand auf die linke Brust. Ich sagte zu ihm: »Tu das nicht«, aber er fuhr fort, mich unsittlich zu betasten, was meinen Zorn er-

25 regte. Bevor ich seine sündhafte Absicht durchschauen konnte, trat er mir dann zu nahe. Es war geschehen, als mein Schwiegervater eintrat und mich irrtümlich mit den Füßen trat.

DER WIRT *erklärend:* An Stelle meines Sohnes.

30 AZDAK *zum Knecht:* Gibst du zu, daß du angefangen hast?

KNECHT Jawohl.

AZDAK Ludowika, ißt du gern Süßes?

LUDOWIKA Ja, Sonnenblumenkerne.

AZDAK Sitzt du gern lang im Badezuber?

35 LUDOWIKA Eine halbe Stunde oder so.

AZDAK  Herr Öffentlicher Ankläger, leg dein Messer dort
auf den Boden. *Schauwa tut es.* Ludowika, geh und heb
das Messer des Öffentlichen Anklägers auf.
*Ludowika geht, die Hüften wiegend, zum Messer und*
*hebt es auf.*

AZDAK  *zeigt auf sie:* Seht ihr das? Wie das wiegt? Der ver-
brecherische Teil ist entdeckt. Die Vergewaltigung ist
erwiesen. Durch zuviel Essen, besonders von Süßem,
durch langes Im-lauen-Wasser-Sitzen, durch Faulheit
und eine zu weiche Haut hast du den armen Menschen
dort vergewaltigt. Meinst du, du kannst mit einem solchen Hintern herumgehen und es geht dir bei Gericht
durch? Das ist ein vorsätzlicher Angriff mit einer gefährlichen Waffe. Du wirst verurteilt, den kleinen Falben
dem Gerichtshof zu übergeben, den dein Schwiegervater
an Stelle seines Sohnes zu reiten pflegt, und jetzt gehst du
mit mir in die Scheuer, damit sich der Gerichtshof den
Tatort betrachten kann, Ludowika.

*Auf der grusinischen Heerstraße wird der Azdak von*
*seinen Panzerreitern auf seinem Richterstuhl von Ort zu*
*Ort getragen. Hinter ihm Schauwa, der den Galgen*
*schleppt, und der Knecht, der den kleinen Falben führt.*

DER SÄNGER ZUSAMMEN MIT SEINEN MUSIKERN

Als die Obern sich zerstritten
War'n die Untern froh, sie litten
Nicht mehr gar so viel Gibber und Abgezwack*.
Auf Grusiniens bunten Straßen
Gut versehn mit falschen Maßen
Zog der Armeleuterichter, der Azdak.

Und er nahm es von den Reichen
Und er gab es seinesgleichen
Und sein Zeichen war die Zähr'* aus Siegellack.
Und beschirmet von Gelichter*

Zog der gute schlechte Richter
Mütterchen Grusiniens*, der Azdak.
*Der kleine Zug entfernt sich.*

Nach der
Wendung
›Mütterchen
Russland‹

Kommt ihr zu ⌈dem lieben Nächsten⌉
Kommt mit gut geschärften Äxten
Nicht entnervten Bibeltexten und Schnickschnack!
Wozu all der Predigtplunder
Seht, die Äxte tuen Wunder
Und mitunter glaubt an Wunder der Azdak.

*Der Richterstuhl des Azdak steht in einer Weinschänke.*
*Drei Großbauern stehen vor dem Azdak, dem Schauwa*
*Wein bringt. In der Ecke steht eine alte Bäuerin. Unter*
*der offenen Tür und außen die Dorfbewohner als Zu-*
*schauer. Ein Panzerreiter hält Wache mit der Standarte*
*der Panzerreiter.*

AZDAK Der Herr Öffentliche Ankläger hat das Wort.

SCHAUWA Es handelt sich um eine Kuh. Die Angeklagte
hat seit fünf Wochen eine Kuh im Stall, die dem Großbauern Suru gehört. Sie wurde auch im Besitz eines ge-
stohlenen Schinkens angetroffen, und dem Großbauern
Schuteff sind Kühe getötet worden, als er die Angeklagte
aufforderte, die Pacht für einen Acker zu zahlen.

DIE GROSSBAUERN
Es handelt sich um meinen Schinken, Euer Gnaden. –
Es handelt sich um meine Kuh, Euer Gnaden. –
Es handelt sich um meinen Acker, Euer Gnaden.

AZDAK Mütterchen, was hast du dazu zu sagen?

DIE ALTE Euer Gnaden, vor fünf Wochen klopfte es in der
Nacht gegen Morgen zu an meiner Tür, und draußen
stand ein bärtiger Mann mit einer Kuh und sagte: »Liebe
Frau, ich bin der wundertätige Sankt Banditus, und weil
dein Sohn im Krieg gefallen ist, bringe ich dir diese Kuh
als ein Angedenken. Pflege sie gut.«

DIE GROSSBAUERN Der Räuber ⌈Irakli⌉, Euer Gnaden! Ihr Schwager, Euer Gnaden! Der Herdendieb, der Brandstifter! Geköpft muß er werden!

*Von außen der Aufschrei einer Frau. Die Menge wird unruhig, weicht zurück. Herein der Bandit Irakli mit einer riesigen Axt.*

DIE GROSSBAUERN Irakli! *Sie bekreuzigen sich.*

DER BANDIT Schönen guten Abend, ihr Lieben! Ein Glas Wodka!

AZDAK Herr Öffentlicher Ankläger, ein Glas Wodka für den Gast. Und wer bist du?

DER BANDIT Ich bin ein wandernder ⌈Eremit⌉, Euer Gnaden, und danke für die milde Gabe. *Er trinkt das Glas aus, das Schauwa gebracht hat.* Noch eins.

AZDAK Ich bin der Azdak. *Er steht auf und verbeugt sich, ebenso verbeugt sich der Bandit.* Der Gerichtshof heißt den fremden Eremiten willkommen. Erzähl weiter, Mütterchen.

DIE ALTE Euer Gnaden, in der ersten Nacht wußt ich noch nicht, daß der heilige Banditus Wunder tun konnte, es war nur die Kuh. Aber ein paar Tage später kamen nachts die Knechte des Großbauern und wollten mir die Kuh wieder nehmen. Da kehrten sie vor meiner Tür um und gingen zurück ohne die Kuh, und faustgroße Beulen wuchsen ihnen auf den Köpfen. Da wußte ich, daß der heilige Banditus ihre Herzen verwandelt und sie zu freundlichen Menschen gemacht hatte.

*Der Bandit lacht laut.*

DER ERSTE GROSSBAUER Ich weiß, was sie verwandelt hat.

AZDAK Das ist gut. Da wirst du es uns nachher sagen. Fahr fort!

DIE ALTE Euer Gnaden, der Nächste, der ein guter Mensch wurde, war der Großbauer Schuteff, ein Teufel, das weiß jeder. Aber der heilige Banditus hat es zustande gebracht, daß er mir die Pacht auf den kleinen Acker erlassen hat.

DER ZWEITE GROSSBAUER Weil mir meine Kühe auf dem Feld abgestochen wurden.

*Der Bandit lacht.*

DIE ALTE *auf den Wink des Azdak:* Und dann kam der Schinken eines Morgens zum Fenster hereingeflogen. Er hat mich ins Kreuz getroffen, ich lahme noch jetzt, sehen Sie, Euer Gnaden. *Sie geht ein paar Schritte. Der Bandit lacht.* Ich frage, Euer Gnaden: Wann hat je einer einem armen alten Menschen einen Schinken gebracht ohne ein Wunder?

*Der Bandit beginnt zu schluchzen.*

ADZAK *von seinem Stuhl gehend:* Mütterchen, das ist eine Frage, die den Gerichtshof mitten ins Herz trifft. Sei so freundlich, dich niederzusetzen.

*Die Alte setzt sich zögernd auf den Richterstuhl. Der Azdak setzt sich auf den Boden, mit seinem Weinglas.*

AZDAK

Mütterchen, fast nennte ich dich Mutter Grusinien, ⌐die Schmerzhafte⌐.

Die Beraubte, deren Söhne im Krieg sind.

Die mit Fäusten Geschlagene, Hoffnungsvolle!

Die da weint, wenn sie eine Kuh kriegt.

Die sich wundert, wenn sie nicht geschlagen wird.

⌐Mütterchen, wolle uns Verdammte gnädig beurteilen!⌐

*Brüllend zu den Großbauern:* Gesteht, daß ihr nicht an Wunder glaubt, ihr Gottlosen! Jeder von euch wird verurteilt zu fünfhundert Piaster Strafe wegen Gottlosigkeit. Hinaus!

*Die Großbauern schleichen hinaus.*

AZDAK Und du, Mütterchen, und du, frommer Mann *zum Banditen,* leeret eine Kanne Wein mit dem Öffentlichen Kläger und dem Azdak.

DER SÄNGER MIT SEINEN MUSIKERN

Und so ⌐brach er die Gesetze wie ein Brot⌐, daß es sie
letze*                                                    Laben,
                                                          erquicken

Bracht das Volk ans Ufer auf des Rechtes Wrack.

Und die Niedren und Gemeinen hatten endlich, endlich
einen

Den die leere Hand bestochen, den Azdak.

Siebenhundertzwanzig Tag maß er mit gefälschter
⌜Waage⌝

Ihre Klage, und er sprach wie Pack zu Pack.

Auf dem Richterstuhl, den Balken über sich von einem
Galgen

Anspielung
auf die
Wendung
›gezinkte
Karten‹; betrü-
gerisches
Recht

Teilte sein gezinktes Recht* aus der Azdak.                1

DER SÄNGER

Da war die Zeit der Unordnung aus, kehrte der
Großfürst zurück

Kehrte die Gouverneursfrau zurück, wurde ein Gericht
gehalten                                                  1

Starben viele Menschen, brannte die Vorstadt aufs neue,
ergriff Furcht den Azdak.

*Der Richterstuhl des Azdak steht wieder im Hof des
Gerichts. Der Azdak sitzt auf dem Boden und flickt seinen Schuh, mit Schauwa sprechend. Von außen Lärm.* 2
*Hinter der Mauer wird der Kopf des fetten Fürsten auf
einem Spieß vorbeigetragen.*

AZDAK Schauwa, die Tage deiner Knechtschaft sind jetzt
gezählt, vielleicht sogar die Minuten. Ich habe dich die
längste Zeit in der eisernen ⌜Kandare⌝ der Vernunft ge-  2
halten, die dir das Maul blutig gerissen hat, dich mit
Vernunftgründen aufgepeitscht und mit Logik mißhan-
delt. Du bist von Natur ein schwacher Mensch, und
wenn man dir listig ein Argument hinwirft, mußt du es
gierig hineinfressen, du kannst dich nicht halten. Du    3
mußt deiner Natur nach einem höheren Wesen die Hand
lecken, aber es können ganz verschiedene höhere Wesen
sein, und jetzt kommt deine Befreiung, und du kannst
bald wieder deinen Trieben folgen, welche niedrig sind,

und deinem untrüglichen Instinkt, der dich lehrt, daß du
deine dicke Sohle in menschliche Antlitze pflanzen
sollst. Denn die Zeit der Verwirrung und Unordnung ist
vorüber, die ich in dem Lied vom Chaos beschrieben
finde, das wir jetzt noch einmal zusammen singen werden zum Angedenken an diese schreckliche Zeit; setz
dich und vergreif dich nicht an den Tönen. Keine Furcht,
man darf es hören, es hat einen beliebten Refrain. *Er
singt:*

⌐Schwester, verhülle dein Haupt, Bruder, hol dein
               Messer, die Zeit ist aus den Fugen.
Die Vornehmen sind voll Klagen und die Geringen voll
               Freude. Die Stadt sagt:
Laßt uns die Starken aus unserer Mitte vertreiben.
In den Ämtern wird eingebrochen, die Listen der
               Leibeigenen werden zerstört.
Die Herren hat man an die Mühlsteine gesetzt. Die den
               Tag nie sahen, sind herausgegangen.
Die Opferkästen aus Ebenholz* werden zerschlagen, das
               herrliche Sesnemholz* zerhackt man zu Betten.
Wer kein Brot hatte, der hat jetzt Scheunen; wer sich
               Kornspenden holte
Läßt jetzt selber austeilen.

SCHAUWA Oh, oh, oh, oh.

AZDAK

Wo bleibst du, General? Bitte, bitte, bitte, schaff
               Ordnung.
Der Sohn des Angesehenen ist nicht mehr zu erkennen;
               das Kind der Herrin wird
Zum Sohn ihrer Sklavin.
Die Räte suchen schon Obdach im Speicher; wer kaum
               auf den Mauern nächtigen
Durfte, räkelt sich jetzt im Bett.
Der sonst das Boot ruderte, besitzt jetzt Schiffe; schaut
               ihr Besitzer nach

Edelholz
Zedernholz

Ihnen, so sind sie nicht mehr sein.

Fünf Männer sind ausgeschickt von ihrem Herrn. Sie
                                        sagen: Geht jetzt selber
Den Weg, wir sind angelangt.

SCHAUWA Oh, oh, oh, oh.

AZDAK

Wo bleibst du, General? Bitte, bitte, bitte, schaff
                                        Ordnung!⌐

Ja, so wäre es beinahe gekommen bei uns, wenn die
Ordnung noch länger vernachlässigt worden wäre. 10
Aber jetzt ist der Großfürst, dem ich Ochse das Leben
gerettet habe, in die Hauptstadt zurück, und die Perser
haben ihm ein Heer ausgeliehen, damit er Ordnung
schafft. Die Vorstadt brennt schon. Hol mir das dicke
Buch, auf dem ich immer sitze. *Schauwa bringt vom* 15
*Richterstuhl das Buch, der Azdak schlägt es auf.* Das ist
das Gesetzbuch, und ich habe es immer benutzt, das
kannst du bezeugen. Ich werde jetzt besser nachschla-
gen, was sie mir aufbrennen können. Denn ich habe den
Habenichtsen durch die Finger gesehen, das wird mir 20
teuer zu stehen kommen. Ich habe der Armut auf die
dünnen Beine geholfen, da werden sie mich wegen Trun-
kenheit aufhängen; ich habe den Reichen in die Taschen
geschaut, das ist faule Sprache. Und ich kann mich nir-
gends verstecken, denn alle kennen mich, da ich allen 25
geholfen habe.

SCHAUWA Jemand kommt.

AZDAK *gehetzt stehend, geht dann schlotternd zum Stuhl:*
Aus. Aber ich werd niemand den Gefallen tun, menschliche Größe zu zeigen. Ich bitt dich auf den Knien um 30
Erbarmen, geh jetzt nicht weg, der Speichel rinnt mir
heraus. Ich hab Todesfurcht.

*Herein Natella Abaschwili, die Gouverneursfrau, mit
dem Adjutanten und einem Panzerreiter.*

DIE GOUVERNEURSFRAU Was ist das für eine Kreatur, Shal- 35
va?

AZDAK Eine willfährige, Euer Gnaden, eine, die zu Diensten steht.

DER ADJUTANT Natella Abaschwili, die Frau des verstorbenen Gouverneurs, ist soeben zurückgekehrt und sucht nach ihrem zweijährigen Sohn Michel Abaschwili. Sie hat Kenntnis bekommen, daß das Kind von einem früheren Dienstboten in das Gebirge verschleppt wurde.

AZDAK Es wird beigeschafft werden, Euer Hochwohlgeboren*, zu Befehl.

Veraltete, ehrerbietige Anrede

DER ADJUTANT Die Person soll das Kind als ihr eigenes ausgeben.

AZDAK Sie wird geköpft werden, Euer Hochwohlgeboren, zu Befehl.

DER ADJUTANT Das ist alles.

DIE GOUVERNEURSFRAU *im Abgehen:* Der Mensch mißfällt mir.

AZDAK *folgt ihr mit tiefen Verbeugungen zur Tür:* Zu Befehl, Euer Hochwohlgeboren, es wird alles geordnet werden.

5
*Der Kreidekreis*

DER SÄNGER
Hört nun die Geschichte des Prozesses um das Kind des
Gouverneurs Abaschwili
Mit der Feststellung der wahren Mutter
Durch die berühmte Probe mit einem Kreidekreis.
*Im Hof des Gerichts in Nukha. Panzerreiter führen Michel herein und nach hinten hinaus. Ein Panzerreiter hält mit dem Spieß Grusche unterm Tor zurück, bis das Kind weggeführt ist. Dann wird sie eingelassen. Bei ihr ist die dicke Köchin aus dem Haushalt des ehemaligen Gouverneurs Abaschwili. Entfernter Lärm und Brandröte.*

GRUSCHE Er ist tapfer, er kann sich schon allein waschen.

DIE KÖCHIN Du hast ein Glück, es ist überhaupt kein richtiger Richter, es ist der Azdak. Er ist ein Saufaus* und versteht nichts, und die größten Diebe sind schon bei ihm freigekommen. Weil er alles verwechselt und die reichen Leut ihm nie genug Bestechung zahlen, kommt unsereiner manchmal gut bei ihm weg.

Trinker

GRUSCHE Heut brauch ich Glück.

DIE KÖCHIN Verruf's nicht. *Sie bekreuzigt sich.* Ich glaub, ich bet besser schnell noch einen ⌜Rosenkranz⌝, daß der Richter besoffen ist. *Sie betet mit tonlosen Lippen, während Grusche vergebens nach dem Kind ausschaut.*

DIE KÖCHIN Ich versteh nur nicht, warum du's mit aller Gewalt behalten willst, wenn's nicht deins ist, in diesen Zeiten.

GRUSCHE Es ist meins: ich hab's aufgezogen.

DIE KÖCHIN Hast du denn nie darauf gedacht, was geschieht, wenn sie zurückkommt?

GRUSCHE Zuerst hab ich gedacht, ich geb's ihr zurück, und dann hab ich gedacht, sie kommt nicht mehr.

DIE KÖCHIN Und ein geborgter Rock hält auch warm, wie? *Grusche nickt.* Ich schwör dir, was du willst, weil du eine anständige Person bist. *Memoriert*. Ich hab ihn in Pflege gehabt, für fünf Piaster, und die Grusche hat ihn sich abgeholt am Ostersonntag, abends, wie die Unruhen waren. *Sie erblickt den Soldaten Chachava, der sich nähert.* Aber an dem Simon hast du dich versündigt, ich hab mit ihm gesprochen, er kann's nicht fassen.

Lernt
auswendig

GRUSCHE *die ihn nicht sieht:* Ich kann mich jetzt nicht kümmern um den Menschen, wenn er nichts versteht.

DIE KÖCHIN Er hat's verstanden, daß das Kind nicht deins ist, aber daß du im Stand der Ehe bist und nicht mehr frei, bis der Tod dich scheidet, kann er nicht verstehen. *Grusche erblickt ihn und grüßt.*

SIMON *finster:* Ich möchte der Frau mitteilen, daß ich bereit zum Schwören bin. Der Vater vom Kind bin ich.

GRUSCHE *leise:* Es ist recht, Simon.

SIMON Zugleich möchte ich mitteilen, daß ich dadurch zu nichts verpflichtet bin und die Frau auch nicht.

DIE KÖCHIN Das ist unnötig. Sie ist verheiratet, das weißt du.

SIMON Das ist ihre Sache und braucht nicht eingerieben zu werden.

*Herein kommen zwei Panzerreiter.*

PANZERREITER Wo ist der Richter? – Hat jemand den Richter gesehen?

GRUSCHE *die sich abgewendet und ihr Gesicht bedeckt hat:* Stell dich vor mich hin. Ich hätt nicht nach Nukha gehen dürfen. Wenn ich an den Panzerreiter hinlauf, den ich über den Kopf geschlagen hab. . . .

EINER DER PANZERREITER *die das Kind gebracht haben, tritt vor:* Der Richter ist nicht hier.

*Die beiden Panzerreiter suchen weiter.*

DIE KÖCHIN Hoffentlich ist nichts mit ihm passiert. Mit einem andern hast du weniger Aussichten, ⌐als ein Huhn Zähne im Mund hat⌐.

*Ein anderer Panzerreiter tritt auf.*

DER PANZERREITER *der nach dem Richter gefragt hat, meldet ihm:* Da sind nur zwei alte Leute und ein Kind. Der Richter ist getürmt.

DER ANDERE PANZERREITER Weitersuchen!

*Die ersten beiden Panzerreiter gehen schnell ab, der dritte bleibt stehen. Grusche schreit auf. Der Panzerreiter dreht sich um. Es ist der Gefreite, und er hat eine große Narbe über dem ganzen Gesicht.*

DER PANZERREITER IM TOR Was ist los, Schotta? Kennst du die?

DER GEFREITE *nach langem Starren:* Nein.

DER PANZERREITER Die soll das Abaschwilikind gestohlen haben. Wenn du davon etwas weißt, kannst du einen Batzen Geld machen, Schotta.

*Der Gefreite geht fluchend ab.*

DIE KÖCHIN War es der? *Grusche nickt.* Ich glaub, der hält's Maul. Sonst müßt er zugeben, er war hinter dem Kind her.

GRUSCHE *befreit:* Ich hatt beinah schon vergessen, daß ich 5 das Kind doch gerettet hab vor denen. . . .

*Herein die Gouverneursfrau mit dem Adjutanten und zwei Anwälten.*

DIE GOUVERNEURSFRAU Gott sei Dank, wenigstens kein Volk da. Ich kann den Geruch nicht aushalten, ich be- 10 komme Migräne davon.

ERSTER ANWALT Bitte, gnädige Frau. Seien Sie so vernünftig wie möglich mit allem, was Sie sagen, bis wir einen andern Richter haben.

DIE GOUVERNEURSFRAU Aber ich habe doch gar nichts ge- 15 sagt, Illo Schuboladze. Ich liebe das Volk mit seinem schlichten, geraden Sinn, es ist nur der Geruch, der mir Migräne macht.

ZWEITER ANWALT Es wird kaum Zuschauer geben. Die Bevölkerung sitzt hinter geschlossenen Türen wegen der 20 Unruhen in der Vorstadt.

DIE GOUVERNEURSFRAU Ist das die Person?

ERSTER ANWALT Bitte, gnädigste Natella Abaschwili, sich aller Invektiven* zu enthalten, bis es sicher ist, daß der Großfürst den neuen Richter ernannt hat und wir den 25 gegenwärtig amtierenden Richter los sind, der ungefähr das Niedrigste ist, was man je in einem Richterrock gesehen hat. Und die Dinge scheinen sich schon zu bewegen, sehen Sie.

*Panzerreiter kommen aus dem Hof.* 30

DIE KÖCHIN Die Gnädigste würde dir sogleich die Haare ausreißen, wenn sie nicht wüßte, daß der Azdak für die Niedrigen ist. Er geht nach dem Gesicht.

*Zwei Panzerreiter haben begonnen, einen Strick an der Säule zu befestigen. Jetzt wird der Azdak gefesselt her-* 35

Schmähreden, Beleidigungen

*eingeführt. Hinter ihm, ebenfalls gefesselt, Schauwa.*
*Hinter diesem die drei Großbauern.*

EIN PANZERREITER Einen Fluchtversuch wolltest du machen, was? *Er schlägt den Azdak.*

5 EIN GROSSBAUER Den Richterrock herunter, bevor er hochgezogen wird!

*Panzerreiter und Großbauern reißen dem Azdak den Richterrock herunter. Seine zerlumpte Unterkleidung wird sichtbar. Dann gibt ihm einer einen Stoß.*

10 PANZERREITER *wirft ihn einem anderen zu:* Willst du einen Haufen Gerechtigkeit? Da ist sie!

*Unter Geschrei »Nimm du sie!« und »Ich brauche sie nicht!« werfen sie sich den Azdak zu, bis er zusammenbricht, dann wird er hochgerissen und unter die Schlinge*
15 *gezerrt.*

DIE GOUVERNEURSFRAU *die während des »Ballspiels« hysterisch in die Hände geklatscht hat:* Der Mensch war mir unsympathisch auf den ersten Blick.

AZDAK *blutüberströmt, keuchend:* Ich kann nicht sehn,
20 gebt mir einen Lappen.

PANZERREITER Was willst du denn sehn?

AZDAK Euch, Hunde. *Er wischt sich mit seinem Hemd das Blut aus den Augen.* Gott zum Gruß, Hunde! Wie geht es, Hunde? Wie ist die Hundewelt, stinkt sie gut? Gibt es
25 wieder einen Stiefel zu lecken? Beißt ihr euch wieder selber zu Tode, Hunde?

⌐*Ein staubbedeckter Reiter*⌐ *ist mit einem Gefreiten hereingekommen. Aus einem Ledersack hat er Papiere gezogen und durchgesehen. Nun greift er ein.*

30 DER STAUBBEDECKTE REITER Halt, hier ist das Schreiben des Großfürsten, die neuen Ernennungen betreffend.

GEFREITER *brüllt:* Steht still!

*Alle stehen still.*

DER STAUBBEDECKTE REITER Über den neuen Richter
35 heißt es: Wir ernennen einen Mann, dem die Errettung

eines dem Land hochwichtigen Lebens zu danken ist, einen gewissen Azdak in Nukha. Wer ist das?

SCHAUWA *zeigt auf den Azdak:* Da am Galgen, Euer Exzellenz.

GEFREITER *brüllt:* Was geht hier vor? 5

PANZERREITER Bitte, berichten zu dürfen, daß Seine Gnaden schon Seine Gnaden war und auf Anzeige dieser Großbauern als Feind des Großfürsten bezeichnet wurde.

GEFREITER *auf die Großbauern:* Abführen! *Sie werden ab-* 10
*geführt, gehen mit unaufhörlichen Verneigungen.* Sorgt, daß Seine Gnaden keine weiteren Belästigungen erfährt. *Ab mit dem staubbedeckten Reiter.*

DIE KÖCHIN *zu Schauwa:* Sie hat in die Hände geklatscht. Hoffentlich hat er es gesehen. 15

ERSTER ANWALT Es ist eine Katastrophe.

*Der Azdak ist ohnmächtig geworden. Er wird herab-*
*geholt, kommt zu sich, wird wieder mit dem Richter-*
*rock bekleidet, geht schwankend aus der Gruppe der*
*Panzerreiter.* 20

PANZERREITER Nichts für ungut, Euer Gnaden! – Was wünschen Euer Gnaden?

AZDAK Nichts, meine Mithunde. Einen Stiefel zum Lekken, gelegentlich. *Zu Schauwa:* Ich begnadige dich. *Er*
*wird entfesselt.* Hol mir von dem Roten, Süßen. *Schau-* 25
*wa ab.* Verschwindet, ich hab einen Fall zu behandeln.
*Panzerreiter ab. Schauwa zurück mit Kanne Wein. Der*
*Azdak trinkt schwer.* Etwas für meinen Steiß! *Schauwa*
*bringt das Gesetzbuch, legt es auf den Richterstuhl. Der*
*Azdak setzt sich.* Ich nehme! 30

*Die Antlitze der Kläger, unter denen eine besorgte Be-*
*ratung stattfindet, zeigen ein befreites Lächeln. Ein Tu-*
*scheln findet statt.*

DIE KÖCHIN Auweh.

SIMON »Ein Brunnen läßt sich nicht mit Tau füllen«, wie 35
man sagt.

DIE ANWÄLTE *nähern sich dem Azdak, der erwartungsvoll aufsteht:* Ein ganz lächerlicher Fall, Euer Gnaden. Die Gegenpartei hat das Kind entführt und weigert sich, es herauszugeben.

5 AZDAK *hält ihnen die offene Hand hin, nach Grusche blikkend:* Eine sehr anziehende Person. *Er fühlt das Geld und setzt sich befriedigt.* Ich eröffne die Verhandlung und bitt mir strikte Wahrhaftigkeit aus. *Zu Grusche:* Besonders von dir.

10 ERSTER ANWALT Hoher Gerichtshof! ⌐Blut, heißt es im Volksmund, ist dicker als Wasser.⌐ Diese alte Weisheit.

. . .

AZDAK Der Gerichtshof wünscht zu wissen, was das Honorar des Anwalts ist.

15 ERSTER ANWALT *erstaunt:* Wie belieben? *Der Azdak reibt freundlich Daumen und Zeigefinger.* Ach so! Fünfhundert Piaster, Euer Gnaden, um die ungewöhnliche Frage des Gerichtshofes zu beantworten.

AZDAK Habt ihr zugehört? Die Frage ist ungewöhnlich. 20 Ich frag, weil ich Ihnen ganz anders zuhör, wenn ich weiß, Sie sind gut.

DER ANWALT *verbeugt sich:* Danke, Euer Gnaden. Hoher Gerichtshof! Die Bande des Blutes sind die stärksten aller Bande. Mutter und Kind, gibt es ein innigeres Ver- 25 hältnis? Kann man einer Mutter ihr Kind entreißen? Hoher Gerichtshof! Sie hat es empfangen in den heiligen Ekstasen* der Liebe, sie trug es in ihrem Leibe, speiste es mit ihrem Blute, gebar es mit Schmerzen. Hoher Gerichtshof! Man hat gesehen, wie selbst die rohe Tigerin, 30 beraubt ihrer Jungen, rastlos durch die Gebirge streifte, abgemagert zu einem Schatten. Die Natur selber . . .

AZDAK *unterbricht, zu Grusche:* Was kannst du dazu und zu allem, was der Herr Anwalt noch zu sagen hat, erwidern?

35 GRUSCHE Es ist meins.

*(griech.-lat.) Verzückung, rauschhafter Zustand*

AZDAK  Ist das alles? Ich hoff, du kannst's beweisen. Jedenfalls rat ich dir, daß du mir sagst, warum du glaubst, ich
soll dir das Kind zusprechen.

GRUSCHE  Ich hab's aufgezogen nach bestem Wissen und
Gewissen, ihm immer was zum Essen gefunden. Es hat  5
meistens ein Dach überm Kopf gehabt, und ich hab allerlei Ungemach* auf mich genommen seinetwegen, mir
auch Ausgaben gemacht. Ich hab nicht auf meine Bequemlichkeit geschaut. Das Kind hab ich angehalten zur
Freundlichkeit gegen jedermann und von Anfang an zur  10
Arbeit, so gut es gekonnt hat, es ist noch klein.

Unbequem-
lichkeit

ANWALT  Euer Gnaden, es ist bezeichnend, daß die Person
selber keinerlei Blutsbande zwischen sich und dem Kind
geltend macht.

AZDAK  Der Gerichtshof nimmt's zur Kenntnis.  15

ANWALT  Danke, Euer Gnaden. Gestatten Sie, daß eine tief-
gebeugte Frau, die schon ihren Gatten verlor und nun
auch noch fürchten muß, ihr Kind zu verlieren, einige
Worte an Sie richtet. Gnädige Natella Abaschwili. . . .

DIE  GOUVERNEURSFRAU  *leise:* Ein höchst grausames  20
Schicksal, mein Herr, zwingt mich, von Ihnen mein ge-
liebtes Kind zurückzuerbitten. Es ist nicht an mir, Ihnen
die Seelenqualen einer beraubten Mutter zu schildern,
die Ängste, die schlaflosen Nächte, die . . .

ZWEITER ANWALT  *ausbrechend:* Es ist unerhört, wie man  25
diese Frau behandelt. Man verwehrt ihr den Eintritt in
den Palast ihres Mannes, man sperrt ihr die Einkünfte
aus den Gütern, man sagt ihr kaltblütig, sie seien an den
Erben gebunden, sie kann nichts unternehmen ohne das
Kind, sie kann ihre Anwälte nicht bezahlen! *Zu dem*  30
*ersten Anwalt, der, verzweifelt über seinen Ausbruch,*
*ihm frenetische\* Gesten macht, zu schweigen:* Lieber
Illo Schuboladze, warum soll es nicht ausgesprochen
werden, daß es sich schließlich um die Abaschwili-Güter
handelt?  35

(griech.-lat.-
franz.) stürmi-
sche, tobende

ERSTER ANWALT Bitte, verehrter Sandro Oboladze! Wir haben vereinbart.... *Zum Azdak:* Selbstverständlich ist es richtig, daß der Ausgang des Prozesses auch darüber entscheidet, ob unsere Hohe Klientin die Verfügung über die sehr großen Abaschwili-Güter erhält, aber ich sage mit Absicht »auch«, das heißt, im Vordergrund steht die menschliche Tragödie einer Mutter, wie Natella Abaschwili im Eingang ihrer erschütternden Ausführungen mit Recht erwähnt hat. Selbst wenn Michel Abaschwili nicht der Erbe der Güter wäre, wäre er immer noch das heißgeliebte Kind meiner Klientin!

AZDAK Halt! Den Gerichtshof berührt die Erwähnung der Güter als ein Beweis der Menschlichkeit.

ZWEITER ANWALT Danke, Euer Gnaden. Lieber Illo Schuboladze, auf jeden Fall können wir nachweisen, daß die Person, die das Kind an sich gerissen hat, nicht die Mutter des Kindes ist! Gestatten Sie mir, dem Gerichtshof die nackten Tatsachen zu unterbreiten. Das Kind, Michel Abaschwili, wurde durch eine unglückselige Verkettung von Umständen bei der Flucht der Mutter zurückgelassen. Die Grusche, Küchenmädchen im Palast, war an diesem Ostersonntag anwesend und wurde beobachtet, wie sie sich mit dem Kind zu schaffen machte.
. . .

DIE KÖCHIN Die Frau hat nur daran gedacht, was für Kleider sie mitnimmt!

ZWEITER ANWALT *unbewegt:* Nahezu ein Jahr später tauchte die Grusche in einem Gebirgsdorf auf mit einem Kind und ging eine Ehe ein mit. . . .

AZDAK Wie bist du in das Gebirgsdorf gekommen?

GRUSCHE Zu Fuß, Euer Gnaden, und es war meines.

SIMON Ich bin der Vater, Euer Gnaden.

DIE KÖCHIN Es war bei mir in Pflege, Euer Gnaden, für fünf Piaster.

ZWEITER ANWALT Der Mann ist der Verlobte der Grusche,

Hoher Gerichtshof, und daher in seiner Aussage nicht vertrauenswürdig.

AZDAK Bist du der, den sie im Gebirgsdorf geheiratet hat?

SIMON Nein, Euer Gnaden. Sie hat einen Bauern geheiratet.

AZDAK *winkt Grusche heran:* Warum? *Auf Simon.* Ist er nichts im Bett? Sag die Wahrheit.

GRUSCHE Wir sind nicht soweit gekommen. Ich hab geheiratet wegen dem Kind. Daß es ein Dach über dem Kopf gehabt hat. *Auf Simon.* Er war im Krieg, Euer Gnaden.

AZDAK Und jetzt will er wieder mit dir, wie?

GRUSCHE *zornig:* Ich bin nicht mehr frei, Euer Gnaden.

SIMON Ich möchte zu Protokoll geben. . . .

AZDAK Und das Kind, behauptest du, kommt von der Hurerei?

*Da Grusche nicht antwortet.* Ich stell dir eine Frage: was für ein Kind ist es? So ein zerlumpter Straßenbankert oder ein feines aus einer vermögenden Familie?

GRUSCHE *böse:* Es ist ein gewöhnliches.

AZDAK Ich mein: hat es frühzeitig verfeinerte Züge gezeigt?

GRUSCHE Es hat eine Nase im Gesicht gezeigt.

AZDAK Es hat eine Nase im Gesicht gezeigt. Das betracht ich als eine wichtige Antwort von dir. Man erzählt von mir, daß ich vor einem Richterspruch hinausgegangen bin und an einem Rosenstrauch hingerochen hab. Das sind Kunstgriffe, die heut schon nötig sind. Ich werd's jetzt kurz machen und mir eure Lügen nicht weiter anhören *zu Grusche,* besonders die deinen. Ich kann mir denken, was ihr euch *zu der Gruppe der Beklagten* alles zusammengekocht habt, daß ihr mich bescheißt, ich kenn euch. Ihr seid Schwindler.

GRUSCHE *plötzlich:* Ich glaub's Ihnen, daß Sie's kurz machen wollen, nachdem ich gesehen hab, wie Sie genommen haben!

AZDAK Halt's Maul. Hab ich etwa von dir genommen?

GRUSCHE *obwohl die Köchin sie zurückhalten will:* Weil ich nichts hab.

AZDAK Ganz richtig. Von euch Hungerleidern krieg ich nichts, da könnt ich verhungern. Ihr wollt eine Gerechtigkeit, aber wollt ihr zahlen? Wenn ihr zum Fleischer geht, wißt ihr, daß ihr zahlen müßt, aber zum Richter geht ihr wie zum Leichenschmaus*.

SIMON *laut:* »Als sie das Roß beschlagen kamen, streckte der Roßkäfer die Beine hin«, heißt es.

AZDAK *nimmt die Herausforderung eifrig auf:* »Besser ein Schatz aus der Jauchegrube als ein Stein aus dem Bergquell.«

SIMON ⌐»Ein schöner Tag, wollen wir nicht fischen gehn? sagte der Angler zum Wurm.«⌐

AZDAK »Ich bin mein eigener Herr, sagte der Knecht und schnitt sich den Fuß ab.«

SIMON »Ich liebe euch wie ein Vater, sagte der Zar* zu den Bauern und ließ dem Zarewitsch* den Kopf abhaun.«

AZDAK »Der ärgste Feind des Narren ist er selber.«

SIMON Aber »der Furz hat keine Nase!«

AZDAK Zehn Piaster Strafe für unanständige Sprache vor Gericht, damit du lernst, was Justiz ist.

GRUSCHE Das ist eine saubere Justiz. Uns verknallst du, weil wir nicht so fein reden können wie die mit ihren Anwälten.

AZDAK So ist es. Ihr seid zu blöd. Es ist nur recht, daß ihr's auf den Deckel kriegt.

GRUSCHE Weil du der da das Kind zuschieben willst, wo sie viel zu fein ist, als daß sie je gewußt hat, wie sie es trockenlegt! Du weißt nicht mehr von Justiz, als ich weiß, das merk dir.

AZDAK Da ist was dran. Ich bin ein unwissender Mensch, ich habe keine ganze Hose unter meinem Richterrock, schau selber. Es geht alles in Essen und Trinken bei mir,

Festmahl nach der Beerdigung

Ehemaliger Herrschertitel in Russland

Sohn des Zaren

ich bin in einer Klosterschul erzogen. Ich nehm übrigens auch dich in Straf mit zehn Piaster für Beleidigung des Gerichtshofs. Und außerdem bist du eine ganz dumme Person, daß du mich gegen dich einnimmst, statt daß du mir schöne Augen machst und ein bissel den Hintern 5 drehst, so daß ich günstig gestimmt bin. Zwanzig Piaster.

GRUSCHE Und wenn's dreißig werden, ich sag dir, was ich von deiner Gerechtigkeit halt, du besoffene Zwiebel. Wie kannst du dich unterstehn und mit mir reden wie 10 der gesprungene Jessajah* auf dem Kirchenfenster als ein Herr? Wie sie dich aus deiner Mutter gezogen haben, war's nicht geplant, daß du ihr eins auf die Finger gibst, wenn sie sich ein Schälchen Hirse nimmt irgendwo, und schämst dich nicht, wenn du siehst, daß ich vor dir zit- 15 ter? Aber du hast dich zu ihrem Knecht machen lassen, daß man ihnen nicht die Häuser wegträgt, weil sie die gestohlen haben; seit wann gehören die Häuser den Wanzen? Aber du paßt auf, sonst könnten sie uns nicht die Männer in ihre Kriege schleppen, du Verkaufter. 20
*Der Azdak hat sich erhoben. Er beginnt zu strahlen. Mit seinem kleinen Hammer klopft er auf den Tisch, halb-herzig, wie um Ruhe herzustellen, aber wenn die Schimpferei der Grusche fortschreitet, schlägt er ihr nur noch den Takt.* 25

GRUSCHE Ich hab keinen Respekt vor dir. Nicht mehr als vor einem Dieb und Raubmörder mit einem Messer, er macht, was er will. Du kannst mir das Kind wegnehmen, hundert gegen eins, aber ich sag dir eins: zu einem Beruf wie dem deinen sollt man nur Kinderschänder und ⌐Wu- 30 cherer⌐ auswählen zur Strafe, daß sie über ihren Mit-menschen sitzen müssen, was schlimmer ist, als am Gal-gen hängen.

AZDAK *setzt sich:* Jetzt sind's dreißig, und ich rauf mich nicht weiter mit dir herum wie im Weinhaus, wo käm 35

meine richterliche Würde hin, ich hab überhaupt die
Lust verloren an deinem Fall. Wo sind die zwei, die ge-
schieden werden wollen? *Zu Schauwa:* Bring sie herein.
Diesen Fall setz ich aus für eine Viertelstunde.

5 ERSTER ANWALT *während Schauwa geht:* Wenn wir gar
nichts mehr vorbringen, haben wir das Urteil im Sack,
gnädige Frau.

DIE KÖCHIN *zu Grusche:* Du hast dir's verdorben mir ihm.
Jetzt spricht er dir das Kind ab.

10 DIE GOUVERNEURSFRAU Shalva, mein ⌜Riechfläschchen⌝.
*Herein kommt ein sehr altes Ehepaar.*

AZDAK Ich nehm. *Die Alten verstehen nicht.* Ich hör, ihr
wollt geschieden werden. Wie lang seid ihr schon zusammen?

15 DIE ALTE Vierzig Jahr, Euer Gnaden.

AZDAK Und warum wollt ihr geschieden werden?

DER ALTE Wir sind uns nicht sympathisch, Euer Gnaden.

AZDAK Seit wann?

DIE ALTE Seit immer, Euer Gnaden.

20 AZDAK Ich werd mir euern Wunsch überlegen und mein
Urteil sprechen, wenn ich mit dem andern Fall fertig bin.
*Schauwa führt sie in den Hintergrund.* Ich brauch das
Kind. *Winkt Grusche zu sich und beugt sich zu ihr, nicht
unfreundlich.* Ich hab gesehen, daß du was für Gerech-
25 tigkeit übrig hast. Ich glaub dir nicht, daß es dein Kind
ist, aber wenn es deines wär, Frau, würdest du da nicht
wollen, es soll reich sein? Da müßtest du doch nur sagen,
es ist nicht deins. Und sogleich hätt es einen Palast und
hätte die vielen Pferde an seiner Krippe und die vielen
30 Bettler an seiner Schwelle, die vielen Soldaten in seinem
Dienst und die vielen Bittsteller in seinem Hofe, nicht?
Was antwortest du mir da? Willst du's nicht reich haben?
*Grusche schweigt.*

35 DER SÄNGER Hört nun, was die Zornige dachte, nicht sagte. *Er singt:*

Ginge es in goldnen Schuhn
Träte es mir auf die Schwachen
Und es müßte Böses tun
Und könnte mir lachen.

Ach, zum Tragen, spät und frühe                                      5
Ist zu schwer ein Herz aus Stein
⌈Denn es macht zu große Mühe
Mächtig tun und böse sein.⌉

Wird es müssen den Hunger fürchten
Aber die Hungrigen nicht!                                            10
Wird es müssen die Finsternis fürchten
Aber nicht das Licht.

AZDAK  Ich glaub, ich versteh dich, Frau.
GRUSCHE  Ich geb's nicht mehr her. Ich hab's aufgezogen,
und es kennt mich.                                                   15
*Schauwa führt das Kind herein.*
DIE GOUVERNEURSFRAU  In Lumpen geht es.
GRUSCHE  Das ist nicht wahr. Man hat mir nicht die Zeit
gegeben, daß ich ihm sein gutes Hemd anzieh.

Schweinestall  DIE GOUVERNEURSFRAU  In einem Schweinekoben* war es!   20
GRUSCHE  *aufgebracht:* Ich bin kein Schwein, aber da gibt's
andere. Wo hast du dein Kind gelassen?

(lat.-franz.)
Auf absto-
ßende Weise
gewöhnlich  DIE GOUVERNEURSFRAU  Ich werd's dir geben, du vulgäre*
Person. *Sie will sich auf Grusche stürzen, wird aber von
den Anwälten zurückgehalten.* Das ist eine Verbreche-  25
rin. Sie muß ausgepeitscht werden, sofort.
DER ZWEITE ANWALT  *hält ihr den Mund zu:* Gnädigste
Natella Abaschwili! Sie haben versprochen. . . . Euer
Gnaden, die Nerven der Klägerin . . .
AZDAK  Klägerin und Angeklagte! Der Gerichtshof hat eu-  30
ren Fall angehört und hat keine Klarheit gewonnen, wer
die wirkliche Mutter dieses Kindes ist. Ich als Richter

hab die Verpflichtung, daß ich für das Kind eine Mutter
aussuch. Ich werd eine Probe machen. Schauwa, nimm
ein Stück Kreide. Zieh einen Kreis auf den Boden.
*Schauwa zieht einen Kreis mit Kreide auf den Boden.*
5 Stell das Kind hinein! *Schauwa stellt Michel, der Grusche zulächelt, in den Kreis.* Klägerin und Angeklagte,
stellt euch neben den Kreis, beide! *Die Gouverneursfrau
und Grusche treten neben den Kreis.* Faßt das Kind bei
der Hand. Die richtige Mutter wird die Kraft haben, das
10 Kind aus dem Kreis zu sich zu ziehen.
ZWEITER ANWALT *schnell:* Hoher Gerichtshof, ich erhebe
Einspruch, daß das Schicksal der großen Abaschwili-
Güter, die an das Kind als Erben gebunden sind, von
einem so zweifelhaften Zweikampf abhängen soll. Dazu
15 kommt: Meine Mandantin verfügt nicht über die glei-
chen Kräfte wie diese Person, die gewohnt ist, körper-
liche Arbeit zu verrichten.
AZDAK Sie kommt mir gut genährt vor. Zieht!
*Die Gouverneursfrau zieht das Kind zu sich herüber aus
20 dem Kreis. Grusche hat es losgelassen, sie steht entgeistert.*
DER ERSTE ANWALT *beglückwünscht die Gouverneursfrau:* Was hab ich gesagt? Blutsbande!
AZDAK *zu Grusche:* Was ist mir dir? Du hast nicht gezo-
25 gen.
GRUSCHE Ich hab's nicht festgehalten. *Sie läuft zu Azdak.*
Euer Gnaden, ich nehm zurück, was ich gegen Sie gesagt
hab, ich bitt Sie um Vergebung. Wenn ich's nur behalten
könnt, bis es alle Wörter kann. Es kann erst ein paar.
30 AZDAK Beeinfluß nicht den Gerichtshof! Ich wett, du
kannst selber nur zwanzig. Gut, ich mach die Probe
noch einmal, daß ich's endgültig hab. Zieht!
*Die beiden Frauen stellen sich noch einmal auf. Wieder
läßt Grusche das Kind los.*
35 GRUSCHE *verzweifelt:* Ich hab's aufgezogen! Soll ich's zerreißen? Ich kann's nicht.

AZDAK *steht auf:* Und damit hat der Gerichtshof festgestellt, wer die wahre Mutter ist. *Zu Grusche:* Nimm dein
Kind und bring's weg. Ich rat dir, bleib nicht in der Stadt
mit ihm. *Zur Gouverneursfrau:* Und du verschwind, bevor ich dich wegen Betrug verurteil. Die Güter fallen an 5
die Stadt, damit ein Garten für die Kinder draus gemacht wird, sie brauchen ihn, und ich bestimm, daß er
nach mir ⌈»Der Garten des Azdak«⌉ heißt.
*Die Gouverneursfrau ist ohnmächtig geworden und*
*wird vom Adjutanten weggeführt, während die Anwälte* 10
*schon vorher gegangen sind. Grusche steht ohne Be-*
*wegung. Schauwa führt ihr das Kind zu.*
AZDAK Denn ich leg den Richterrock ab, weil er mir zu
heiß geworden ist. ⌈Ich mach keinem den Helden.⌉ Aber
ich lad euch noch ein zu einem kleinen Tanzvergnügen, 15
auf der Wiese draußen, zum Abschied. Ja, fast hätt ich
noch was vergessen in meinem Rausch. Nämlich, daß
ich die Scheidung vollzieh. *Den Richterstuhl als Tisch*
*benutzend, schreibt er etwas auf ein Papier und will*
*weggehen. Die Tanzmusik hat begonnen.* 20
SCHAUWA *hat das Papier gelesen:* Aber das ist nicht richtig. Sie haben nicht die zwei Alten geschieden, sondern
die Grusche von ihrem Mann.
AZDAK Hab ich die Falschen geschieden? Das tät mir leid,
aber es bleibt dabei, zurück nehm ich nichts, das wäre 25
keine Ordnung. Ich lad euch dafür zu meinem Fest ein,
zu einem Tanz werdet ihr euch noch gut genug sein. *Zu*
*Grusche und Simon:* Und von euch krieg ich vierzig Pia-
ster zusammen.
SIMON *zieht seinen Beutel:* Das ist billig, Euer Gnaden. 30
Und besten Dank.
AZDAK *steckt das Geld ein:* Ich werd's brauchen.
GRUSCHE Da gehen wir besser heut nacht noch aus der
Stadt, was, Michel? *Zu Simon:* Gefällt er dir?
SIMON Melde gehorsamst, daß er mir gefällt. 35

GRUSCHE  Und jetzt sag ich dir's: Ich hab ihn genommen,
weil ich mich dir verlobt hab an diesem Ostertag. Und so
ist's ein Kind der Liebe. Michel, wir tanzen.
*Sie tanzt mit Michel. Simon faßt die Köchin und tanzt*
*mit ihr. Auch die beiden Alten tanzen. Der Azdak steht*
*in Gedanken. Die Tanzenden verdecken ihn bald. Mit-*
*unter sieht man ihn wieder, immer seltener, als mehr*
*Paare hereinkommen und tanzen.*

DER SÄNGER
Und nach diesem Abend verschwand der Azdak ⌐und
                   ward nicht mehr gesehen⌐.
Aber das Volk Grusiniens vergaß ihn nicht und gedachte
                        noch
Lange seiner Richterzeit als einer kurzen
⌐Goldenen Zeit⌐ beinah der Gerechtigkeit.
*Die Tanzenden tanzen hinaus. Der Azdak ist ver-*
*schwunden.*
                   Ihr aber, Ihr Zuhörer
Der Geschichte vom Kreidekreis, nehmt zur Kenntnis
                   die Meinung
Der Alten, daß da gehören soll, was da ist
Denen, die für es gut sind, also
Die Kinder den Mütterlichen, damit sie gedeihen
⌐Die Wagen den guten Fahrern, damit gut gefahren wird⌐
Und das Tal den Bewässerern, damit es Frucht bringt.
*Musik.*

# Anhang

## Der Augsburger Kreidekreis
[Erzählung, 1940]

Zu der Zeit ⌜des Dreißigjährigen Krieges⌝ besaß ein Schweizer Protestant namens Zingli eine große Gerberei* mit einer Lederhandlung in der ⌜freien Reichsstadt Augsburg⌝ am Lech*. Er war mit einer Augsburgerin verheiratet und hatte ein Kind von ihr. Als die Katholischen auf die Stadt zu marschierten, rieten ihm seine Freunde dringend zur Flucht, aber, sei es, daß seine kleine Familie ihn hielt, sei es, daß er seine Gerberei nicht im Stich lassen wollte, er konnte sich jedenfalls nicht entschließen, beizeiten wegzureisen.

So war er noch in der Stadt, als die kaiserlichen Truppen sie stürmten, und als am Abend geplündert wurde, versteckte er sich in einer Grube im Hof, wo die Farben aufbewahrt wurden. Seine Frau sollte mit dem Kind zu ihren Verwandten in die Vorstadt ziehen, aber sie hielt sich zu lange damit auf, ihre Sachen, Kleider, Schmuck und Betten zu packen, und so sah sie plötzlich, von einem Fenster des ersten Stokkes aus, eine Rotte* kaiserlicher Soldaten in den Hof dringen. Außer sich vor Schrecken ließ sie alles stehen und liegen und rannte durch eine Hintertür aus dem Anwesen.

So blieb das Kind im Hause zurück. Es lag in der großen Diele in seiner Wiege und spielte mit einem Holzball, der an einer Schnur von der Decke hing.

Nur eine junge Magd war noch im Hause. Sie hantierte in der Küche mit dem Kupferzeug*, als sie Lärm von der Gasse her hörte. Ans Fenster stürzend, sah sie, wie aus dem ersten Stock des Hauses gegenüber von Soldaten allerhand Beutestücke auf die Gasse geworfen wurden. Sie lief in die Diele und wollte eben das Kind aus der Wiege nehmen, als sie das Geräusch schwerer Schläge gegen die eichene* Haustür hörte. Sie wurde von Panik ergriffen und flog die Treppe hinauf.

*Margin notes:*
Verarbeitet Felle und Tierhäute zu Leder

Nebenfluss der Donau

Gruppe

Geschirr aus Kupfer

Aus Eichenholz

Die Diele füllte sich mit betrunkenen Soldaten, die alles
kurz und klein schlugen. Sie wußten, daß sie sich im Haus
eines Protestanten befanden. Wie durch ein Wunder blieb
bei der Durchsuchung und Plünderung Anna, die Magd,
unentdeckt. Die Rotte verzog sich, und aus dem Schrank 5
herauskletternd, in dem sie gestanden war, fand Anna auch
das Kind in der Diele unversehrt. Sie nahm es hastig an sich
und schlich mit ihm auf den Hof hinaus. Es war inzwischen
Nacht geworden, aber der rote Schein eines in der Nähe
brennenden Hauses erhellte den Hof, und entsetzt erblick- 10
te sie die übel zugerichtete Leiche des Hausherrn. Die Soldaten hatten ihn aus seiner Grube gezogen und erschlagen.
Erst jetzt wurde der Magd klar, welche Gefahr sie lief,
wenn sie mit dem Kind des Protestanten auf der Straße 15
aufgegriffen wurde. Sie legte es schweren Herzens in die
Wiege zurück, gab ihm etwas Milch zu trinken, wiegte es in
Schlaf und machte sich auf den Weg in den Stadtteil, wo
ihre verheiratete Schwester wohnte. Gegen zehn Uhr
nachts drängte sie sich, begleitet vom Mann ihrer Schwe- 20
ster, durch das Getümmel der ihren Sieg feiernden Soldaten, um in der Vorstadt Frau Zingli, die Mutter des Kindes,
aufzusuchen. Sie klopften an die Tür eines mächtigen Hauses, die sich nach geraumer Zeit auch ein wenig öffnete. Ein
kleiner alter Mann, Frau Zinglis Onkel, steckte den Kopf 25
heraus. Anna berichtete atemlos, daß Herr Zingli tot, das
Kind aber unversehrt im Hause sei. Der Alte sah sie kalt aus
fischigen Augen an und sagte, seine Nichte sei nicht mehr
da, und er selber habe mit dem Protestantenbankert* nichts
zu schaffen. Damit machte er die Tür wieder zu. Im Weg- 30
gehen sah Annas Schwager, wie sich ein Vorhang in einem
der Fenster bewegte, und gewann die Überzeugung, daß
Frau Zingli da war. Sie schämte sich anscheinend nicht, ihr
Kind zu verleugnen.
Eine Zeitlang gingen Anna und ihr Schwager schweigend 35

(abwert.)
Uneheliches
Kind (eines
Protestanten)

nebeneinander her. Dann erklärte sie ihm, daß sie in die Gerberei zurück und das Kind holen wolle. Der Schwager, ein ruhiger, ordentlicher Mann, hörte sie erschrocken an und suchte ihr die gefährliche Idee auszureden. Was hatte sie mit diesen Leuten zu tun? Sie war nicht einmal anständig behandelt worden.

Anna hörte ihm still zu und versprach ihm, nichts Unvernünftiges zu tun. Jedoch wollte sie unbedingt noch schnell in die Gerberei schauen, ob dem Kind nichts fehle. Und sie wollte allein gehen.

Sie setzte ihren Willen durch. Mitten in der zerstörten Halle lag das Kind ruhig in seiner Wiege und schlief. Anna setzte sich müde zu ihm und betrachtete es. Sie hatte nicht gewagt, ein Licht anzuzünden, aber das Haus in der Nähe brannte immer noch, und bei diesem Licht konnte sie das Kind ganz gut sehen. Es hatte einen winzigen Leberfleck am Hälschen.

Als die Magd einige Zeit, vielleicht eine Stunde, zugesehen hatte, wie das Kind atmete und an seiner kleinen Faust saugte, erkannte sie, daß sie zu lange gesessen und zuviel gesehen hatte, um noch ohne das Kind weggehen zu können. Sie stand schwerfällig auf, und mit langsamen Bewegungen hüllte sie es in die Leinendecke, hob es auf den Arm und verließ mit ihm den Hof, sich scheu umschauend, wie eine Person mit schlechtem Gewissen, eine Diebin.

Sie brachte das Kind, nach langen Beratungen mit Schwester und Schwager, zwei Wochen darauf aufs Land in das Dorf Großaitingen*, wo ihr älterer Bruder Bauer war. Der Bauernhof gehörte der Frau, er hatte nur eingeheiratet. Es war ausgemacht worden, daß sie vielleicht nur dem Bruder sagen sollte, wer das Kind war, denn sie hatten die junge Bäuerin nie zu Gesicht bekommen und wußten nicht, wie sie einen so gefährlichen kleinen Gast aufnehmen würde.

Anna kam gegen Mittag im Dorf an. Ihr Bruder, seine Frau und das Gesinde saßen beim Mittagessen. Sie wurde nicht

Ort, ca. 20 km südwestl. von Augsburg

schlecht empfangen, aber ein Blick auf ihre neue Schwägerin veranlaßte sie, das Kind sogleich als ihr eigenes vorzustellen. Erst nachdem sie erzählt hatte, daß ihr Mann in einem entfernten Dorf eine Stellung in einer Mühle hatte und sie dort mit dem Kind in ein paar Wochen erwartete, taute die Bäuerin auf, und das Kind wurde gebührend bewundert.

Nachmittags begleitete sie ihren Bruder ins Gehölz, Holz sammeln. Sie setzten sich auf Baumstümpfe, und Anna schenkte ihm reinen Wein ein. Sie konnte sehen, daß ihm nicht wohl in seiner Haut war. Seine Stellung auf dem Hof war noch nicht gefestigt, und er lobte Anna sehr, daß sie seiner Frau gegenüber den Mund gehalten hatte. Es war klar, daß er seiner jungen Frau keine besonders großzügige Haltung gegenüber dem Protestantenkind zutraute. Er wollte, daß die Täuschung aufrechterhalten wurde.

Das war nun auf die Länge nicht leicht.

Anna arbeitete bei der Ernte mit und pflegte »ihr« Kind zwischendurch, immer wieder vom Feld nach Hause laufend, wenn die andern ausruhten. Der Kleine gedieh und wurde sogar dick, lachte, sooft er Anna sah, und suchte kräftig den Kopf zu heben. Aber dann kam der Winter, und die Schwägerin begann sich nach Annas Mann zu erkundigen.

Es sprach nichts dagegen, daß Anna auf dem Hof blieb, sie konnte sich nützlich machen. Das Schlimme war, daß die Nachbarn sich über den Vater von Annas Jungen wunderten, weil der nie kam, nach ihm zu sehen. Wenn sie keinen Vater für ihr Kind zeigen konnte, mußte der Hof bald ins Gerede kommen.

An einem Sonntagmorgen spannte der Bauer an und hieß Anna laut mitkommen, ein Kalb in einem Nachbardorf abzuholen. Auf dem ratternden Fahrweg teilte er ihr mit, daß er für sie einen Mann gesucht und gefunden hätte. Es war ein todkranker ⌐Häusler⌐, der kaum den ausgemergel-

ten* Kopf vom schmierigen Laken heben konnte, als die abge-<br>spannten,<br>abgezehrten
beiden in seiner niedrigen Hütte standen.

Er war willig, Anna zu ehelichen. Am Kopfende des Lagers
stand eine gelbhäutige Alte, seine Mutter. Sie sollte ein Ent-
5 gelt für den Dienst, der Anna erwiesen wurde, bekommen.

Das Geschäft war in zehn Minuten ausgehandelt, und
Anna und ihr Bruder konnten weiterfahren und ihr Kalb
erstehen. Die Verehelichung fand Ende derselben Woche
10 statt. Während der Pfarrer die Trauungsformel murmelte,
wandte der Kranke nicht ein einziges Mal den glasigen
Blick auf Anna. Ihr Bruder zweifelte nicht, daß sie den Totenschein in wenigen Tagen haben würden. Dann war Annas Mann und Kindsvater auf dem Weg zu ihr in einem
15 Dorf bei Augsburg irgendwo gestorben, und niemand würde sich wundern, wenn die Witwe im Haus ihres Bruders
bleiben würde.

Anna kam froh von ihrer seltsamen Hochzeit zurück, auf
der es weder Kirchenglocken noch Blechmusik, weder
20 Jungfern noch Gäste gegeben hatte. Sie verzehrte als Hoch- Reichhaltiges<br>und gutes<br>Mahl (aus<br>Anlass einer<br>Hochzeit)
zeitsschmaus* ein Stück Brot mit einer Scheibe Speck in der
Speisekammer und trat mit ihrem Bruder dann vor die Kiste, in der das Kind lag, das jetzt einen Namen hatte. Sie
stopfte das Laken fester und lachte ihren Bruder an.
25 Der Totenschein ließ allerdings auf sich warten.

Es kam weder die nächste noch die übernächste Woche
Bescheid von der Alten. Anna hatte auf dem Hof erzählt,
daß ihr Mann nun auf dem Weg zu ihr sei. Sie sagte nun-
mehr, wenn man sie fragte, wo er bliebe, der tiefe Schnee
30 mache wohl die Reise beschwerlich. Aber nachdem weitere
drei Wochen vergangen waren, fuhr ihr Bruder doch, ernst-
lich beunruhigt, in das Dorf bei Augsburg.

Er kam spät in der Nacht zurück. Anna war noch auf und
lief zur Tür, als sie das Fuhrwerk auf dem Hof knarren
35 hörte. Sie sah, wie langsam der Bauer ausspannte, und ihr
Herz krampfte sich zusammen.

Er brachte üble Nachricht. In die Hütte tretend, hatte er den Todgeweihten beim Abendessen am Tisch sitzend vorgefunden, in Hemdsärmeln, mit beiden Backen kauend. Er war wieder völlig gesundet.

Der Bauer sah Anna nicht ins Gesicht, als er weiter berichtete. Der Häusler, er hieß übrigens Otterer, und seine Mutter schienen über die Wendung ebenfalls überrascht und waren wohl noch zu keinem Entschluß gekommen, was zu geschehen hätte. Otterer habe keinen unangenehmen Eindruck gemacht. Er hatte wenig gesprochen, jedoch einmal seine Mutter, als sie darüber jammern wollte, daß er nun ein ungewünschtes Weib und ein fremdes Kind auf dem Hals habe, zum Schweigen verwiesen. Er aß bedächtig seine Käsespeise weiter während der Unterhaltung und aß noch, als der Bauer wegging.

Die nächsten Tage war Anna natürlich sehr bekümmert. Zwischen ihrer Hausarbeit lehrte sie den Jungen gehen. Wenn er den ⌐Spinnrocken⌐ losließ und mit ausgestreckten Ärmchen auf sie zugewackelt kam, unterdrückte sie ein trockenes Schluchzen und umklammerte ihn fest, wenn sie ihn auffing.

Einmal fragte sie ihren Bruder: Was ist er für einer? Sie hatte ihn nur auf dem Sterbebett gesehen und nur abends, beim Schein einer schwachen Kerze. Jetzt erfuhr sie, daß ihr Mann ein abgearbeiteter Fünfziger sei, halt so, wie ein Häusler ist.

Bald darauf sah sie ihn. Ein Hausierer* hatte ihr mit einem großen Aufwand an Heimlichkeit ausgerichtet, daß »ein gewisser Bekannter« sie an dem und dem Tag zu der und der Stunde bei dem und dem Dorf, da wo der Fußweg nach Landsberg* abgeht, treffen wolle. So begegneten die Verehelichten sich zwischen ihren Dörfern wie die antiken Feldherren zwischen ihren Schlachtreihen, im offenen Gelände, das von Schnee bedeckt war.

Der Mann gefiel Anna nicht.

Anbieter von Waren, der von Haus zu Haus geht

Bayer. Stadt, südl. von Augsburg am Lech gelegen

Er hatte kleine graue Zähne, sah sie von oben bis unten an, obwohl sie in einem dicken Schafspelz steckte und nicht viel zu sehen war, und gebrauchte dann die Wörter »Sakrament der Ehe«. Sie sagte ihm kurz, sie müsse sich alles noch überlegen und er möchte ihr durch irgendeinen Händler oder Schlächter, der durch Großaitingen kam, vor ihrer Schwägerin ausrichten lassen, er werde jetzt bald kommen und sei nur auf dem Weg erkrankt.

Otterer nickte in seiner bedächtigen Weise. Er war über einen Kopf größer als sie und blickte immer auf ihre linke Halsseite beim Reden, was sie aufbrachte.

Die Botschaft kam aber nicht, und Anna ging mit dem Gedanken um, mit dem Kind einfach vom Hof zu gehen und weiter südwärts, etwa in Kempten* oder ⌜Sonnthofen⌝, eine Stellung zu suchen. Nur die Unsicherheit der Landstraßen, über die viel geredet wurde, und daß es mitten im Winter war, hielt sie zurück.

Der Aufenthalt auf dem Hof wurde aber jetzt schwierig. Die Schwägerin stellte am Mittagstisch vor allem Gesinde mißtrauische Fragen nach ihrem Mann. Als sie einmal sogar, mit falschem Mitleid auf das Kind sehend, laut »armes Wurm« sagte, beschloß Anna, doch zu gehen, aber da wurde das Kind krank.

Es lag unruhig mit hochrotem Kopf und trüben Augen in seiner Kiste, und Anna wachte ganze Nächte über ihm in Angst und Hoffnung. Als es sich wieder auf dem Weg zur Besserung befand und sein Lächeln zurückgefunden hatte, klopfte es eines Vormittags an die Tür, und herein trat Otterer.

Es war niemand außer Anna und dem Kind in der Stube, so daß sie sich nicht verstellen mußte, was ihr bei ihrem Schrecken auch wohl unmöglich gewesen wäre. Sie standen eine gute Weile wortlos, dann äußerte Otterer, er habe die Sache seinerseits überlegt und sei gekommen, sie zu holen. Er erwähnte wieder das Sakrament der Ehe.

Stadt im Allgäu, im Krieg mehrmals verwüstet

Anna wurde böse. Mit fester, wenn auch unterdrückter Stimme sagte sie dem Mann, sie denke nicht daran, mit ihm zu leben, sie sei die Ehe nur eingegangen ihres Kindes wegen und wolle von ihm nichts, als daß er ihr und dem Kind seinen Namen gebe.

Otterer blickte, als sie von dem Kind sprach, flüchtig nach der Richtung der Kiste, in der es lag und brabbelte, trat aber nicht hinzu. Das nahm Anna noch mehr gegen ihn ein.

Er ließ ein paar Redensarten fallen; sie solle sich alles noch einmal überlegen, bei ihm sei ⌐Schmalhans Küchenmeister⌐, und seine Mutter könne in der Küche schlafen. Dann kam die Bäuerin herein, begrüßte ihn neugierig und lud ihn zum Mittagessen. Den Bauern begrüßte er, schon am Teller sitzend, mit einem nachlässigen Kopfnicken, weder vortäuschend, er kenne ihn nicht, noch verratend, daß er ihn kannte. Auf die Fragen der Bäuerin antwortete er einsilbig, seine Blicke nicht vom Teller hebend, er habe in Mering* eine Stelle gefunden, und Anna könne zu ihm ziehen. Jedoch sagte er nichts mehr davon, daß dies gleich sein müsse.

Am Nachmittag vermied er die Gesellschaft des Bauern und hackte hinter dem Haus Holz, wozu ihn niemand aufgefordert hatte. Nach dem Abendessen, an dem er wieder schweigend teilnahm, trug die Bäuerin selber ein Deckbett in Annas Kammer, damit er dort übernachten konnte, aber da stand er merkwürdigerweise schwerfällig auf und murmelte, daß er noch am selben Abend zurück müsse. Bevor er ging, starrte er mit abwesendem Blick in die Kiste mit dem Kind, sagte aber nichts und rührte es nicht an.

In der Nacht wurde Anna krank und verfiel in ein Fieber, das wochenlang dauerte. Die meiste Zeit lag sie teilnahmslos, nur ein paarmal gegen Mittag, wenn das Fieber etwas nachließ, kroch sie zu der Kiste mit dem Kind und stopfte die Decke zurecht.

Ort, ca. 15 km südöstl. von Augsburg

In der vierten Woche ihrer Krankheit fuhr Otterer mit einem Leiterwagen auf dem Hof vor und holte sie und das Kind ab. Sie ließ es wortlos geschehen.

Nur sehr langsam kam sie wieder zu Kräften, kein Wunder bei den dünnen Suppen der Häuslerhütte. Aber eines Morgens sah sie, wie schmutzig das Kind gehalten war, und stand entschlossen auf.

Der Kleine empfing sie mit seinem freundlichen Lächeln, von dem ihr Bruder immer behauptet hatte, er habe es von ihr. Er war gewachsen und kroch mit unglaublicher Geschwindigkeit in der Kammer herum, mit den Händen aufpatschend und kleine Schreie ausstoßend, wenn er auf das Gesicht niederfiel. Sie wusch ihn in einem Holzzuber* und gewann ihre Zuversicht zurück.

Gefäß aus Holz

Wenige Tage später freilich konnte sie das Leben in der Hütte nicht mehr aushalten. Sie wickelte den Kleinen in ein paar Decken, steckte ein Brot und etwas Käse ein und lief weg.

Sie hatte vor, nach Sonnthofen zu kommen, kam aber nicht weit. Sie war noch recht schwach auf den Beinen, die Landstraße lag unter der Schneeschmelze, und die Leute in den Dörfern waren durch den Krieg sehr mißtrauisch und geizig geworden. Am dritten Tag ihrer Wanderung verstauchte sie sich den Fuß in einem Straßengraben und wurde nach vielen Stunden, in denen sie um das Kind bangte, auf einen Hof gebracht, wo sie im Stall liegen mußte. Der Kleine kroch zwischen den Beinen der Kühe herum und lachte nur, wenn sie ängstlich aufschrie. Am Ende mußte sie den Leuten des Hofs den Namen ihres Mannes sagen, und er holte sie wieder nach Mering.

Von nun an machte sie keinen Fluchtversuch mehr und nahm ihr Los hin. Sie arbeitete hart. Es war schwer, aus dem kleinen Acker etwas herauszuholen und die winzige Wirtschaft in Gang zu halten. Jedoch war der Mann nicht unfreundlich zu ihr, und der Kleine wurde satt. Auch kam ihr Bruder mitunter herüber und brachte dies und jenes als

(franz.)
Geschenk,
kleine
Aufmerksam-
keit

Präsent*, und einmal konnte sie dem Kleinen sogar ein Röcklein rot einfärben lassen. Das, dachte sie, mußte dem Kind eines Färbers gut stehen.

Mit der Zeit wurde sie ganz zufrieden gestimmt und erlebte viele Freude bei der Erziehung des Kleinen. So vergingen mehrere Jahre.

Aber eines Tages ging sie ins Dorf Sirup holen, und als sie zurückkehrte, war das Kind nicht in der Hütte, und ihr Mann berichtete ihr, daß eine feingekleidete Frau in einer Kutsche vorgefahren sei und das Kind geholt habe. Sie taumelte an die Wand vor Entsetzen, und am selben Abend noch machte sie sich, nur ein Bündel mit Eßbarem tragend, auf den Weg nach Augsburg.

Ihr erster Gang in der Reichsstadt war zur Gerberei. Sie wurde nicht vorgelassen und bekam das Kind nicht zu sehen.

Schwester und Schwager versuchten vergebens, ihr Trost zuzureden. Sie lief zu den Behörden und schrie außer sich, man habe ihr Kind gestohlen. Sie ging so weit, anzudeuten, daß Protestanten ihr Kind gestohlen hätten. Sie erfuhr daraufhin, daß jetzt andere Zeiten herrschten und zwischen Katholiken und Protestanten Friede geschlossen worden sei.

Sie hätte kaum etwas ausgerichtet, wenn ihr nicht ein besonderer Glücksumstand zu Hilfe gekommen wäre. Ihre Rechtssache wurde an einen Richter verwiesen, der ein ganz besonderer Mann war.

Es war das der Richter ⌈Ignaz Dollinger⌉, in ganz Schwaben berühmt wegen seiner Grobheit und Gelehrsamkeit, vom ⌈Kurfürsten von Bayern⌉, mit dem er einen Rechtsstreit der freien Reichsstadt ausgetragen hatte, »dieser lateinische Mistbauer« getauft, vom niedrigen Volk aber in einer langen Moritat* löblich besungen.

Lied über ein
schreckliches
oder
rührendes
Ereignis

Von Schwester und Schwager begleitet kam Anna vor ihn.

Der kurze, aber ungemein fleischige alte Mann saß in einer winzigen kahlen Stube zwischen Stößen von Pergamenten[*] und hörte sie nur ganz kurz an. Dann schrieb er etwas auf ein Blatt, brummte: »Tritt dorthin, aber mach schnell!« und dirigierte sie mit seiner kleinen plumpen Hand an eine Stelle des Raums, auf die durch das schmale Fenster das Licht fiel. Für einige Minuten sah er genau ihr Gesicht an, dann winkte er sie mit einem Stoßseufzer weg.

(griech.) Alte Handschriften auf Tierhaut

Am nächsten Tag ließ er sie durch einen Gerichtsdiener holen und schrie sie, als sie noch auf der Schwelle stand, an: »Warum hast du keinen Ton davon gesagt, daß es um eine Gerberei mit einem pfundigen Anwesen geht?«

Anna sagte verstockt, daß es ihr um das Kind gehe.

»Bild dir nicht ein, daß du die Gerberei schnappen kannst«, schrie der Richter. »Wenn der Bankert wirklich deiner ist, fällt das Anwesen an die Verwandten von dem Zingli.«

Anna nickte, ohne ihn anzuschauen. Dann sagte sie: »Er braucht die Gerberei nicht.«

»Ist er deiner?« bellte der Richter.

»Ja«, sagte sie leise. »Wenn ich ihn nur so lange behalten dürfte, bis er alle Wörter kann. Er weiß erst sieben.«

Der Richter hustete und ordnete die Pergamente auf seinem Tisch. Dann sagte er ruhiger, aber immer noch in ärgerlichem Ton:

»Du willst den Knirps, und die Ziege da mit ihren fünf Seidenröcken will ihn. Aber er braucht die rechte Mutter.«

»Ja«, sagte Anna und sah den Richter an.

»Verschwind«, brummte er. »Am Samstag halt ich Gericht.«

An diesem Samstag war die Hauptstraße und der Platz vor dem ⌈Rathaus am Perlachturm⌉ schwarz von Menschen, die dem Prozeß um das Protestantenkind beiwohnen wollten. Der sonderbare Fall hatte von Anfang an viel Aufsehen erregt, und in Wohnungen und Wirtschaften wurde darüber gestritten, wer die echte und wer die falsche Mutter war. Auch war der alte Dollinger weit und breit berühmt wegen seiner volkstümlichen Prozesse mit ihren bissigen Redensarten und Weisheitssprüchen. Seine Verhandlungen

Augsburger Jahrmarkt

waren beliebter als Plärrer* und ⌈Kirchweih⌉.

So stauten sich vor dem Rathaus nicht nur viele Augsburger; auch nicht wenige Bauersleute der Umgegend waren da. Freitag war Markttag, und sie hatten in Erwartung des Prozesses in der Stadt übernachtet.

Der Saal, in dem der Richter Dollinger verhandelte, war

Saal im Augsburger Rathaus

der sogenannte Goldene Saal*. Er war berühmt als einziger Saal von dieser Größe in ganz Deutschland, der keine Säulen hatte; die Decke war an Ketten im Dachfirst aufgehängt.

Der Richter Dollinger saß, ein kleiner runder Fleischberg, vor dem geschlossenen Erztor der einen Längswand. Ein gewöhnliches Seil trennte die Zuhörer ab. Aber der Richter saß auf ebenem Boden und hatte keinen Tisch vor sich. Er hatte selber vor Jahren diese Anordnung getroffen; er hielt viel von Aufmachung.

Anwesend innerhalb des abgeseilten Raums waren Frau Zingli mit ihren Eltern, die zugereisten Schweizer Verwandten des verstorbenen Herrn Zingli, zwei gutgekleidete würdige Männer, aussehend wie wohlbestallte Kaufleute, und Anna Otterer mit ihrer Schwester. Neben Frau Zingli sah man eine Amme mit dem Kind.

Alle, Parteien und Zeugen, standen. Der Richter Dollinger pflegte zu sagen, daß die Verhandlungen kürzer ausfielen, wenn die Beteiligten stehen mußten. Aber vielleicht ließ er sie auch nur stehen, damit sie ihn vor dem Publikum verdeckten, so daß man ihn nur sah, wenn man sich auf die Fußzehen stellte und den Hals ausrenkte.

Zu Beginn der Verhandlung kam es zu einem Zwischenfall. Als Anna das Kind erblickte, stieß sie einen Schrei aus und trat vor, und das Kind wollte zu ihr, strampelte heftig in

den Armen der Amme und fing an zu brüllen. Der Richter
ließ es aus dem Saal bringen.

Dann rief er Frau Zingli auf.

Sie kam vorgerauscht und schilderte, ab und zu ein Sack-   Taschentuch
tüchlein* an die Augen lüftend, wie bei der Plünderung die
kaiserlichen Soldaten ihr das Kind entrissen hätten. Noch
in derselben Nacht war die Magd in das Haus ihres Vaters
gekommen und hatte berichtet, das Kind sei noch im Haus,
wahrscheinlich in Erwartung eines Trinkgelds. Eine Köchin ihres Vaters habe jedoch das Kind, in die Gerberei
geschickt, nicht vorgefunden, und sie nehme an, die Person
(sie deutete auf Anna) habe sich seiner bemächtigt, um ir-
gendwie Geld erpressen zu können. Sie wäre auch wohl
über kurz oder lang mit solchen Forderungen hervorge-
kommen, wenn man ihr nicht zuvor das Kind abgenom-
men hätte.

Der Richter Dollinger rief die beiden Verwandten des
Herrn Zingli auf und fragte sie, ob sie sich damals nach
Herrn Zingli erkundigt hätten und was ihnen von Frau
Zingli erzählt worden sei.

Sie sagten aus, Frau Zingli habe sie wissen lassen, ihr Mann
sei erschlagen worden, und das Kind habe sie einer Magd
anvertraut, bei der es in guter Hut sei. Sie sprachen sehr
unfreundlich von ihr, was allerdings kein Wunder war,
denn das Anwesen fiel an sie, wenn der Prozeß für Frau
Zingli verlorenging.

Nach ihrer Aussage wandte sich der Richter wieder an
Frau Zingli und wollte von ihr wissen, ob sie nicht einfach
bei dem Überfall damals den Kopf verloren und das Kind
im Stich gelassen habe.

Frau Zingli sah ihn mit ihren blassen blauen Augen wie
verwundert an und sagte gekränkt, sie habe ihr Kind nicht
im Stich gelassen.

Der Richter Dollinger räusperte sich und fragte sie interessiert, ob sie glaube, daß keine Mutter ihr Kind im Stich
lassen könnte.

Ja, das glaube sie, sagte sie fest.

Ob sie dann glaube, fragte der Richter weiter, daß einer Mutter, die es doch tue, der Hintern verhauen werden müßte, gleichgültig, wie viele Röcke sie darüber trage?

Frau Zingli gab keine Antwort, und der Richter rief die frühere Magd Anna auf. Sie trat schnell vor und sagte mit leiser Stimme, was sie schon bei der Voruntersuchung gesagt hatte. Sie redete aber, als ob sie zugleich horchte, und ab und zu blickte sie nach der großen Tür, hinter die man das Kind gebracht hatte, als fürchtete sie, daß es immer noch schreie.

Sie sagte aus, sie sei zwar in jener Nacht zum Haus von Frau Zinglis Onkel gegangen, dann aber nicht in die Gerberei zurückgekehrt, aus Furcht vor den Kaiserlichen und weil sie Sorgen um ihr eigenes, lediges Kind gehabt habe, das bei guten Leuten im Nachbarort Lechhausen* untergebracht gewesen sei.

Der alte Dollinger unterbrach sie grob und schnappte, es habe also zumindest eine Person in der Stadt gegeben, die so etwas wie Furcht verspürt habe. Er freue sich, das feststellen zu können, denn es beweise, daß eben zumindest eine Person damals einige Vernunft besessen habe. Schön sei es allerdings von der Zeugin nicht gewesen, daß sie sich nur um ihr eigenes Kind gekümmert habe, andererseits aber heiße es ja im Volksmund, ⌈Blut sei dicker als Wasser⌉, und was eine rechte Mutter sei, die gehe auch stehlen für ihr Kind, das sei aber vom Gesetz streng verboten, denn Eigentum sei Eigentum, und wer stehle, der lüge auch, und lügen sei ebenfalls vom Gesetz verboten. Und dann hielt er eine seiner weisen und derben Lektionen über die Abgefeimtheit* der Menschen, die das Gericht anschwindelten, bis sie blau im Gesicht seien, und nach einem kleinen Abstecher über die Bauern, die die Milch unschuldiger Kühe mit Wasser verpanschten, und den Magistrat* der Stadt, der zu hohe Marktsteuern von den Bauern nehme, der

Siedlung bei Augsburg; 1632 von den Schweden zerstört

Durchtriebenheit

Stadtverwaltung, städtische Behörde

überhaupt nichts mit dem Prozeß zu tun hatte, verkündigte
er, daß die Zeugenaussage geschlossen sei und nichts er-
geben habe.

Dann machte er eine lange Pause und zeigte alle Anzeichen
der Ratlosigkeit, sich umblickend, als erwarte er von irgendeiner Seite her einen Vorschlag, wie man zu einem
Schluß kommen könnte.

Die Leute sahen sich verblüfft an, und einige reckten die
Hälse, um einen Blick auf den hilflosen Richter zu erwi-
schen. Es blieb aber sehr still im Saal, nur von der Straße
herauf konnte man die Menge hören.

Dann ergriff der Richter wieder seufzend das Wort.

»Es ist nicht festgestellt worden, wer die rechte Mutter ist«,
sagte er. »Das Kind ist zu bedauern. Man hat schon gehört,
daß die Väter sich oft drücken und nicht die Väter sein
wollen, die Schufte, aber hier melden sich gleich zwei Mütter. Der Gerichtshof hat ihnen so lange zugehört, wie sie es
verdienen, nämlich einer jeden geschlagene fünf Minuten,
und der Gerichtshof ist zu der Überzeugung gelangt, daß
beide wie gedruckt lügen. Nun ist aber, wie gesagt, auch
noch das Kind zu bedenken, das eine Mutter haben muß.
Man muß also, ohne auf bloßes Geschwätz einzugehen,
feststellen, wer die rechte Mutter des Kindes ist.«

Und mit ärgerlicher Stimme rief er den Gerichtsdiener und
befahl ihm, eine Kreide zu holen.

Der Gerichtsdiener ging und brachte ein Stück Kreide.

»Zieh mit der Kreide da auf dem Fußboden einen Kreis, in
dem drei Personen stehen können«, wies ihn der Richter
an.

Der Gerichtsdiener kniete nieder und zog mit der Kreide
den gewünschten Kreis.

»Jetzt bring das Kind«, befahl der Richter.

Das Kind wurde hereingebracht. Es fing wieder an zu heulen und wollte zu Anna. Der alte Dollinger kümmerte sich
nicht um das Geplärr und hielt seine Ansprache nur in etwas lauterem Ton.

»Diese Probe, die jetzt vorgenommen werden wird«, verkündete er, »habe ich in einem alten Buch gefunden, und sie gilt als recht gut. Der einfache Grundgedanke der Probe mit dem Kreidekreis ist, daß die echte Mutter an ihrer Liebe zum Kind erkannt wird. Also muß die Stärke dieser Liebe erprobt werden. Gerichtsdiener, stell das Kind in diesen Kreidekreis.«

Der Gerichtsdiener nahm das plärrende Kind von der Hand der Amme und führte es in den Kreis. Der Richter fuhr fort, sich an Frau Zingli und Anna wendend:

»Stellt auch ihr euch in den Kreidekreis, faßt jede eine Hand des Kindes, und wenn ich ›los‹ sage, dann bemüht euch, das Kind aus dem Kreis zu ziehen. Die von euch die stärkere Liebe hat, wird auch mit der größeren Kraft ziehen und so das Kind auf ihre Seite bringen.«

Im Saal war es unruhig geworden. Die Zuschauer stellten sich auf die Fußspitzen und stritten sich mit den vor ihnen Stehenden.

Es wurde aber wieder totenstill, als die beiden Frauen in den Kreis traten und jede eine Hand des Kindes faßte. Auch das Kind war verstummt, als ahnte es, um was es ging. Es hielt sein tränenüberströmtes Gesichtchen zu Anna emporgewendet. Dann kommandierte der Richter »los«.

Und mit einem einzigen heftigen Ruck riß Frau Zingl das Kind aus dem Kreidekreis. Verstört und ungläubig sah Anna ihm nach. Aus Furcht, es könne Schaden erleiden, wenn es an beiden Ärmchen zugleich in zwei Richtungen gezogen würde, hatte sie es sogleich losgelassen.

Der alte Dollinger stand auf.

»Und somit wissen wir«, sagte er laut, »wer die rechte Mutter ist. Nehmt der Schlampe das Kind weg. Sie würde es kalten Herzens in Stücke reißen.« Und er nickte Anna zu und ging schnell aus dem Saal, zu seinem Frühstück.

Und in den nächsten Wochen erzählten sich die Bauern der Umgebung, die nicht auf den Kopf gefallen waren, daß der

Richter, als er der Frau aus Mering das Kind zusprach, mit den Augen gezwinkert habe.

[GBA 18, S. 341–354]

*Der kaukasische Kreidekreis*
[Prosatext, 1956]

Zwei Kolchosdörfer im Kaukasus hatten nach dem Hitlerkrieg einen Streit um ein Tal. Sie brachten ihn vor die Partei. Das eine Dorf züchtete Schafe und war vor den Hitlerbanditen nach Süden weggezogen. Jetzt wollte es zurückkehren. Aber das andere Dorf, das Obst anbaute und nicht hatte wegziehen können, hatte in den finsteren Zeiten ein Bewässerungsprojekt ausgedacht und wollte dafür das Tal für sich haben. Es gab da Gesetze, jedoch wollten die Dörfer sich gütlich einigen. Am Abend der großen Diskussionen spielte der Obstbaukolchos seinen Gästen, den Delegierten der Schafzüchter, ein Spiel aus alten Zeiten vor.
Durch einen Aufstand der Fürsten wurde einmal der Großfürst gestürzt und aus dem Lande gejagt. Alle seine Gouverneure fielen an diesem Ostersonntag und verloren ihr Leben, darunter der Gouverneur Georgi Abaschwili in der Stadt Nukha. Seine Frau packte ihre schönen Kleider zusammen, bis sie plötzlich sah, daß die Altstadt brannte, und sie mit dem Adjutanten davonlief. Ihr Kind Michel, den Erben, ließ sie zurück. Er lag auf dem vierten Hof und die Dienstboten fanden ihn, als sie aus dem Palast flohen. Sie wollten ihn ungern aufnehmen, denn die neuen Herren würden jeden umbringen, der mit ihm gesehen würde. So halsten sie ihn der Einfältigsten von ihnen auf, der Magd Grusche Vachnadze aus der Palastküche. Auch sie zögerte lange.

Als sie nun stand zwischen Tür und Tor, hörte sie
Oder vermeinte zu hören, ein leises Rufen: das Kind
Rief ihr, wimmerte nicht, sondern rief ganz verständig
So jedenfalls war's ihr. »Frau«, sagte es, »hilf mir.«
Und es fuhr fort, wimmerte nicht, sondern sprach ganz
verständig:
»Wisse, Frau, wer einen Hilferuf nicht hört
Sondern vorbeigeht, verstörten Ohrs: nie mehr
Wird der hören den leisen Ruf des Liebsten, noch
Im Morgengrauen die Amsel oder den wohligen                    1
Seufzer der erschöpften Weinpflücker beim Angelus.«
Dies hörend, ging sie zurück, das Kind
Noch einmal anzusehen. Nur für ein paar Augenblicke
Bei ihm zu bleiben, nur bis wer andrer käme –
Die Mutter vielleicht oder irgendwer –                         1
Nur bevor sie wegging, denn die Gefahr war zu groß, die
Stadt erfüllt
Von Brand und Jammer.
Schrecklich ist die Verführung zur Güte!
Lange saß sie bei dem Kinde                                     2
Bis der Abend kam, bis die Nacht kam
Bis die Frühdämmerung kam. Zu lange saß sie, zu lange
sah sie
Das stille Atmen, die kleinen Fäuste
Bis die Verführung zu stark wurde gegen Morgen zu              2
Und sie aufstand, sich bückte und seufzend das Kind
nahm
Und es wegtrug.
Wie eine Beute nahm sie es an sich
Wie eine Diebin schlich sie sich weg.                          3

Sie machte sich auf den Weg in die nördlichen Gebirge, wo
ihr Bruder in einen Bauernhof eingeheiratet hatte. Sie wanderte mehrere Tage lang. Das Kind war schwer zu schleppen und die Milch war teuer und so beschloß sie, es in

einem Bauernhof auszusetzen. Aber sie wurde von Panzerreitern überrascht, die hinter dem Kind her waren, und
mußte einen von ihnen sogar niederschlagen, mit einem
Holzscheit, als er sich über das Kind bückte. Sie konnte
also Michel nicht loswerden, und an einem Gletscherbach
im Hochgebirge nahm die Hilflose den Hilflosen an Kin-
desstatt. Sie sang:

> Da dich keiner nehmen will
> Muß halt ich dich nehmen.
> Mußt dich, da kein andrer war
> Schwarzer Tag im magern Jahr
> Halt mit mir bequemen.

> Weil ich dich zu lang geschleppt
> Und mit wunden Füßen
> Weil die Milch so teuer war
> Wurdest du mir lieb
> (Wollt dich nicht mehr missen.)

> Werf dein feines Hemdlein weg
> Wickle dich in Lumpen
> Wasche dich und taufe dich
> Mit dem Gletscherwasser.
> (Mußt es überstehen.)

Und als sie den Gletschersteg überschritt, der zu den
Dörfern am östlichen Abhang führt, sang sie im Schnee-
treiben.

> Dein Vater ist ein Räuber
> Deine Mutter ist eine Hur
> Und vor dir wird sich verbeugen
> Der ehrlichste Mann.

Der Sohn des Tigers
Wird die kleinen Pferde füttern
Das Kind der Schlange
Bringt Milch zu den Müttern.

Das Haus des Bruders lag in einem lieblichen Tal, aber die
Bäuerin nahm Grusche nicht freundlich auf und der Bruder
war feige. Man brachte sie in der Geschirrkammer unter,
die kalt war. Das Kind bezeichnete sie als ihr eigenes, sie
habe es von einem Soldaten, der im Krieg sei. Im Frühjahr
sagte ihr der Bruder, sie müsse nun vom Hof. Er habe ihr
einen Mann verschafft, einen kleinen Bauern, der im Sterben liege. Durch die Heirat könne sie einen Unterschlupf
für zwei Jahre bekommen und einen Stempel für Michel als
Kind des Bauern. Da die Grusche mit einem Soldaten verlobt war und ihn nicht vor den zwei Jahren aus dem Krieg
zurückerwartete, nahm sie das Angebot Michels wegen an.
Aber der Krieg war früher zu Ende und da stellte es sich
heraus, daß der Bauer sich nur krank gestellt hatte, um
nicht in den Krieg zu müssen, und Grusche hatte auf einmal
einen Ehemann, den sie nicht wollte. Und nach dem Krieg
kam Simon Chachawa, ihr Verlobter, der Soldat, als sie
beim Linnenwaschen war, und er mußte erfahren, sie war
verheiratet, mit Kind. Und wie konnte sie ihn einweihen,
ohne Michel zu verraten, den Sohn des Geköpften? Hört,
was sie dachte, nicht sagte:

Als du kämpftest in der Schlacht, Soldat
Der blutigen Schlacht, der bitteren Schlacht
Traf ein Kind ich, das hilflos war
Hatt es abzutun nicht das Herz.
Kümmern mußte ich mich um das, was verkommen wär
Bücken mußte ich mich nach den Brotkrumen am Boden
Zerreißen mußte ich mich für das, was nicht mein war
Das Fremde.

Einer muß der Helfer sein.
Denn sein Wasser braucht der kleine Baum.
Es verläuft das Kälbchen sich, wenn der Hirte schläft
Und der Schrei bleibt ungehört!

5 Aber wie sollte der Soldat verstehen, wo alles verschwiegen
wurde? Hört, was er dachte, nicht sagte:

Die Schlacht fing an im Morgengraun, wurde blutig am
Mittag.
Der Erste fiel vor mir, der Zweite fiel hinter mir, der
10 Dritte neben mir.
Auf den Ersten trat ich, den Zweiten ließ ich, den
Dritten durchbohrte der Hauptmann.
Mein einer Bruder starb an einem Eisen, mein andrer
Bruder starb an einem Rauch.
15 Feuer schlugen sie aus meinem Nacken, meine Hände
gefroren in den Handschuhen, meine Zehen in den
Strümpfen.
Gegessen hab ich Espenknospen, getrunken hab ich
Ahornbrühe, geschlafen hab ich auf Steinen, im
20 Wasser.

Der Soldat ging weg, in Zorn.
Und nach dem Krieg kam die Frau des geköpften Gouverneurs, Natella Abaschwili, und fahndete nach ihrem Söhn-
chen Michel, dem Erben. Panzerreiter holten ihn. In Nuk-
25 ha kam es zum Prozeß um das Kind. Der Richter zu dieser
Zeit war der Armeleuterichter Azdak, der durch die Wir-
ren auf den Richterstuhl gelangt war und von dem es Lieder gab, in denen es hieß:

Als die großen Feuer brannten
30 Und in Blut die Städte standen
Aus der Tiefe krochen Spinn und Kakerlak

Vor dem Schloßtor stand ein Schlächter
Am Altar ein Gottverächter
Und es saß im Rock des Richters der Azdak.

Als die Obern sich zerstritten
Warn die Untern froh, sie litten
Nicht mehr gar so viel Gibher und Abgezwack.
Auf Grusiniens bunten Straßen
Gut versehn mit falschen Maßen
Zog der Armeleuterichter, der Azdak.

Und er nahm es von den Reichen
Und er gab es Seinesgleichen
Und sein Zeichen war die Zähr aus Siegellack.
Und beschirmet von Gelichter
Zog der gute schlechte Richter
Mütterchen Grusiniens, der Azdak.

Und so brach er die Gesetze
Wie ein Brot, daß es sie letze
Bracht das Volk ans Ufer auf des Rechtes Wrack.
Und die Niedren und Gemeinen
Hatten endlich, endlich einen
Den die leere Hand bestochen, den Azdak.

Siebenhundertzwanzig Tage
Maß er mit gefälschter Waage
Ihre Klage, und er sprach wie Pack zu Pack.
Auf dem Richterstuhl, den Balken
Über sich von einem Galgen
Teilte sein gezinktes Recht aus der Azdak.

Sicher war, daß er das Gesetzbuch nicht verstand, und so
wurden seine Urteilssprüche oft gerecht. Als Natella
Abaschwili mit ihren Anwälten und Grusche Vachnadze

(ohne Anwalt) vor ihn kamen, verhörte er die Grusche sehr
streng, bis er wußte, daß sie sich das Kind fälschlich zu-
schrieb. Er beschimpfte sie als Schwindlerin, aber sie sagte:
Ich hab's aufgezogen nach bestem Wissen und Gewissen,
ihm immer was zum Essen gefunden. Es hat meistens ein
Dach überm Kopf gehabt, und ich hab allerlei Ungemach
auf mich genommen seinetwegen, mir auch Ausgaben gemacht. Ich habe nicht auf meine Bequemlichkeit geschaut.
Das Kind hab ich angehalten zur Freundlichkeit gegen jedermann und von Anfang an zur Arbeit, so gut es gekonnt
hat, es ist noch klein. Da winkte der Azdak sie zu sich und
sagte zu ihr: Ich glaub dir nicht, daß es dein Kind ist, aber
wenn es deines wär, Frau, würdest du da nicht wollen, es
soll reich sein? Willst du's nicht reich haben? Sie antwortete ihm in einem Lied:

Ginge es in goldnen Schuhn
Träte es mir auf die Schwachen
Und es müßte Böses tun
Und könnte mir lachen.

Ach, zum Tragen spät und frühe
Ist zu schwer ein Herz aus Stein
Denn es macht zu große Mühe
Mächtig tun und böse sein.

Wird es müssen den Hunger fürchten
Aber die Hungrigen nicht!
Wird es müssen die Finsternis fürchten
Aber nicht das Licht.

Da sagte der Azdak: »Ich glaube, ich versteh dich, Frau«,
und ordnete an, daß auf den Boden vor ihm ein Kreis mit
Kreide gezeichnet würde, damit er erkennen könne, wer
die wahre Mutter des Kindes sei. Er hieß die beiden Frauen

an den Kreis treten und das Kind in den Kreis stellen. Sie mußten das Kind bei der Hand fassen und ziehen und »Die rechte Mutter wird die Kraft haben, das Kind aus dem Kreis zu sich zu ziehen«, sagte der Azdak. Die beiden Frauen zogen, aber Grusche hatte Sorge um Michel und ließ ihn los, und die Gouverneursfrau zog ihn an sich und lachte laut. Aber der Azdak sagte: »Der Gerichtshof hat festgestellt, wer die wahre Mutter ist. Grusche, nimm dein Kind und bring's weg. Und du, Natella Abaschwili, verschwind, bevor ich dich wegen Betrug verurteil. Die Güter fallen an die Stadt, damit ein Garten für die Kinder daraus gemacht wird, sie brauchen einen, und ich bestimm, daß er nach mir ›Der Garten des Azdak‹ heißt.«

Am Tage nach der Aufführung des Spiels einigten sich die beiden Kolchosdörfer dahin, daß das schöne Projekt der Obstbaumpflanzer ausgeführt werden sollte, denn

> Es soll gehören, was da ist
> Denen, die für es gut sind, also
> Die Kinder den Mütterlichen, damit sie gedeihen
> Die Wagen den guten Fahrern, damit gut gefahren wird
> Und das Tal den Bewässerern, damit es Frucht bringt.

[GBA 20, S. 204–210]

# Kommentar

# Zeittafel

1898  10. Februar: Bertolt Brecht kommt als Eugen Berthold Friedrich Brecht in Augsburg zur Welt. Der Vater Berthold Friedrich Brecht (1869–1939) ist kaufmännischer Angestellter, später Prokurist und Direktor der Haindl'schen Papierfabrik in Augsburg. Die Mutter ist Wilhelmine Friederike Sofie Brecht, geb. Brezing (1871–1920).

1917  Notabitur während des Ersten Weltkriegs. Brecht nimmt ein Studium der Medizin und der Philosophie in München auf, besucht auch Theaterseminare. (Exmatrikulation ohne Abschluss 1921.)

1918  Von Oktober 1918 bis Januar 1919 leistet Brecht Militärdienst im Reservelazarett Augsburg.

1919  Brechts erstes Kind, der Sohn Frank, wird geboren (Mutter: Paula Banholzer, 1901–1989). *Baal* (Erstfassung; Uraufführung 1923).

1920  Brechts Mutter stirbt. Erste Berlin-Reise (bis 1924 noch acht weitere), um dort als Autor Fuß zu fassen.

1922  Aufgrund von Unterernährung bekommt Brecht eine Nierenentzündung und muss in der Berliner Charité behandelt werden. Uraufführung des Stücks *Trommeln in der Nacht*, für das Brecht den renommierten Kleist-Preis erhält. Heirat mit Marianne Zoff (1893–1984). Bei den Proben zu *Trommeln in der Nacht* in Berlin lernt Brecht Helene Weigel (1900–1971) kennen. Er arbeitet als Dramaturg an den Münchner Kammerspielen.

1923  Die Tochter Hanne kommt zur Welt (Mutter: Marianne Zoff).

1924  Brecht siedelt endgültig nach Berlin über. Er wird Dramaturg am Deutschen Theater in Berlin. Der Sohn Stefan wird geboren (Mutter: Helene Weigel). Bekanntschaft mit Elisabeth Hauptmann (1897–1973).

1926  Uraufführung von *Mann ist Mann*.

1927  Der Gedichtband *Bertolt Brechts Hauspostille* erscheint. Scheidung von Marianne Zoff.

1928  Uraufführung von *Die Dreigroschenoper*.

1929  Heirat mit Helene Weigel. Uraufführung von *Lindbergh-flug* (späterer Titel *Der Flug der Lindberghs*) und *Lehr-stück* (späterer Titel *Das Badener Lehrstück vom Ein-verständnis*).

1930  Veröffentlichung von ersten *Geschichten vom Herrn Keuner*. Die Tochter Barbara kommt zur Welt (Mutter: Helene Weigel). Uraufführung von *Aufstieg und Fall der Stadt Mahagonny* und von *Die Maßnahme*. Die Gedicht-sammlung *Aus dem Lesebuch für Städtebewohner* er-scheint.

1931  Beginn der Freundschaft mit Margarete Steffin (1908–1941).

1932  Uraufführung von *Die Mutter*. Die Filmprüfstelle in Ber-lin verbietet *Kuhle Wampe oder: Wem gehört die Welt?* Brecht hat für den Film, der später in einer entschärften Version gezeigt wird, das Drehbuch geschrieben.

1933  Am 28. Februar, einen Tag nach dem Reichstagsbrand, verlässt Brecht mit seiner Familie Deutschland. Über Prag, Wien, Zürich, Carona und Paris kommt er schließ-lich nach Dänemark, wo er in Svendborg auf der Insel Fünen ein Haus kauft. Beginn der Freundschaft mit Ruth Berlau (1906–1974). Arbeit am *Dreigroschenroman* (veröffentlicht 1934).

1934  Die Gedichtsammlung *Lieder Gedichte Chöre* erscheint.

1935  Brecht wird die deutsche Staatsbürgerschaft aberkannt.

1936  Gemeinsam mit Lion Feuchtwanger (1884–1958) und Willi Bredel (1901–1964) gibt Brecht die Literaturzeit-schrift *Das Wort* (Moskau) heraus.

1938  Die Schrift *Über reimlose Lyrik mit unregelmäßigen Rhythmen* entsteht. Uraufführung von *Furcht und Elend des Dritten Reiches*. *Leben des Galilei* (Erstfassung).

1939  Erste Aufzeichnungen zur theoretischen Schrift *Der Mes-singkauf*, an der Brecht bis 1955 immer wieder arbeitet. Brecht muss der Kriegsgefahr wegen Dänemark verlas-sen. Er siedelt über nach Lidingö in Schweden. Erstdruck der *Svendborger Gedichte*. *Mutter Courage und ihre Kinder* entsteht.

1940    Brecht schreibt die Erzählung *Der Augsburger Kreide-*
        *kreis*. Er muss im Frühjahr auch aus Schweden fliehen
        und wählt Finnland als nächsten Aufenthaltsort. Arbeit
        an den *Flüchtlingsgesprächen*.

1941    Uraufführung von *Mutter Courage und ihre Kinder*. Im
        Mai Ausreise in die USA über die Sowjetunion. Dabei
        bleibt Margarete Steffin krankheitsbedingt in Moskau
        zurück, sie stirbt dort. Im Juli Ankunft Brechts in den
        USA. Er lässt sich mit seiner Familie in Santa Monica,
        einem Stadtteil Hollywoods, nieder.

1942    Mitarbeit am Drehbuch von Fritz Langs (1890–1976)
        Film *Hangmen also die*.

1943    Uraufführungen von *Der gute Mensch von Sezuan* und
        *Leben des Galilei*. Auseinandersetzung mit Thomas
        Mann (1875–1955) über eine Erklärung zur Gründung
        des »Nationalkomitees Freies Deutschland«. Brechts ers-
        ter Sohn Frank stirbt als deutscher Soldat im Krieg.

1944    Arbeit an *Der kaukasische Kreidekreis*. Geburt des Soh-
        nes Michel (Mutter: Ruth Berlau), der zwei Monate zu
        früh zur Welt kommt und wenige Tage später stirbt.

1947    Verhör Brechts vor dem »Committee on Unamerican Ac-
        tivities« in Washington. Einen Tag später Rückkehr nach
        Europa. Vorläufiger Aufenthalt in der Schweiz.

1948    Brecht schreibt die theoretische Schrift *Kleines Organon*
        *für das Theater*.

1949    Die *Kalendergeschichten* werden veröffentlicht. Brecht
        siedelt über nach Ost-Berlin. Gründung des Berliner En-
        sembles.

1950    Brecht erwirbt die österreichische Staatsbürgerschaft. Er
        wird Mitglied der neu gegründeten Deutschen Akademie
        der Künste.

1953    Wahl Brechts zum Präsidenten des PEN-Zentrums
        Deutschland (Ost und West). Die *Buckower Elegien* ent-
        stehen. Im Herbst Umzug in die Chausseestraße 125 (Ber-
        lin-Mitte).

1954    Das Berliner Ensemble zieht in das Theater am Schiffbau-
        erdamm. Dort im Oktober Premiere von *Der kaukasi-*
        *sche Kreidekreis*.

1955 Gastspiel des Berliner Ensembles in Paris mit *Der Kaukasische Kreidekreis*.

1956 14. August: Brecht stirbt an den Folgen eines Herzinfarkts. Er wird am 17. August auf dem Dorotheenstädtischen Friedhof in Berlin beerdigt.

# Bertolt Brechts ›Der kaukasische Kreidekreis‹

*Verzerrte Wahrnehmungen in Ost und West*

Als Bertolt Brecht im Oktober 1954 der Premiere der deutschen Erstaufführung seines Stücks *Der kaukasische Kreidekreis* in Berlin beiwohnte, war er 56 Jahre alt. Er hatte zwei Weltkriege erlebt und fünf Staatsformen auf deutschem Boden gesehen: das Kaiserreich, die Weimarer Republik, die Diktatur der National-sozialisten sowie die zwei Staaten des geteilten Deutschland ab 1949. Über ein Jahrzehnt seines Lebens war er auf der Flucht vor den Nazis gewesen, hatte in Ländern gelebt, deren Sprache er nicht verstand, wodurch seine Publikations- und Einkommens-möglichkeiten sehr eingeschränkt gewesen waren. Seine Arbeit hatte er in dieser Zeit und auch danach dem antifaschistischen Kampf gewidmet.

Die Entscheidung des »Stückeschreibers«, wie Brecht sich selbst ab und an bezeichnete, 1949 in den Teil Deutschlands zurück-zukehren, der sich gerade als DDR konstituierte, ist ihm in West-deutschland übel genommen worden und war Ausgangspunkt für viele Kampagnen gegen den gebürtigen Augsburger, die zum Ziel hatten, seine Stücke aus den westdeutschen Theatern zu verbannen.

Im Jahr vor der deutschen Erstaufführung des *Kreidekreises* gab es für die Deutschen im Westen wieder einen Anlass, Brechts Werke zu boykottieren. Als es am 16./17. Juni 1953 ausgehend von Ost-Berlin zu einem Volksaufstand in der DDR kam, der schließlich von sowjetischen Truppen zerschlagen wurde, sah sich Brecht darin bestätigt, dass die faschistischen Kräfte auch in Ostdeutschland nicht überwunden waren. Er war sich sicher, dass diese mit Unterstützung aus dem Westen den Umsturz der DDR geplant hatten. Seine Sorge vor einem Putschversuch, der den Aufbau einer sozialistischen Gesellschaft verhindert hätte, ist vor dem Hintergrund seiner Exilerfahrungen zu werten. Brecht befürwortete die Maßnahmen der Sowjets und wandte sich in einem kurzen Brief an den Ersten Sekretär der SED, Wal-ter Ulbricht (1893–1973). In diesem bat er um eine »große Aus-

Brief an Ulbricht

sprache mit den Massen« (GBA 30, S. 178), bekräftigte aber auch seine Unterstützung für die SED.

Dieses Schreiben, das in der Parteizeitung der SED, *Neues Deutschland*, mit nur einem Satz zitiert wurde – »Es ist mir ein Bedürfnis, Ihnen in diesem Augenblick meine Verbundenheit mit der Sozialistischen Einheitspartei Deutschlands auszudrücken« (ebd.) – und damit Brechts kritische Stellungnahme wie eine unterwürfige Solidaritätsbekundung erscheinen ließ, hat dem Stückeschreiber in der Bundesrepublik spürbar geschadet. Wieder verschwand Brechts Name, zumindest für kurze Zeit, von den westdeutschen Spielplänen. In der Spielzeit 1954/55 nahm die Anzahl der Brecht-Aufführungen zwar erneut zu, doch gegen viele wurde protestiert – so auch gegen die Inszenierung des *Kaukasischen Kreidekreises* in Frankfurt am Main 1955 (vgl. Abschnitt ›Wirkungsgeschichte‹).

Später fand man in Westdeutschland eine andere Art, mit dem Phänomen ›Brecht‹ umzugehen: Man spaltete es auf in den ›Dichter‹, den man rühmte, und den ›Kommunisten‹, den man herunterspielte – was zur Folge hatte, dass Brecht als politischer Autor nicht ernst genommen und die (gesellschafts)politische Dimension seines Werks ignoriert wurde.

Brechts Stellung in der DDR
Doch auch in der DDR hatte Brecht eine widersprüchliche Stellung inne. Hier nahm man nicht ohne Groll zur Kenntnis, dass Brecht nicht der SED (sowie zeitlebens überhaupt keiner Partei) beigetreten war und außerdem seit 1950 (ausschließlich) die österreichische Staatsbürgerschaft besaß. Im Gegensatz zur Bundesrepublik wurde hier aber ›der politische Brecht‹ geschätzt. Es war ›der poetische Brecht‹, der den DDR-Kulturfunktionären ein Dorn im Auge war. Zwar bemühte man sich, Brecht als Vertreter des sozialistischen Realismus und als Nationaldichter zu vereinnahmen, seinen neuen Formen für das Theater jedoch brachte man nur wenig Verständnis entgegen.

Episches Theater
Das unter dem Stichwort ›episches Theater‹ in die Literaturgeschichte eingegangene Theaterkonzept Brechts ist als Gegenentwurf zur klassischen Dramentheorie und der bürgerlichen Theaterpraxis zu verstehen. Grundlagen seiner Theorie entwickelte Brecht bereits Jahre vor seiner Vertreibung aus Deutschland v. a. auch durch die praktische Arbeit an Theatern. Bevor er nach

dem Krieg endgültig nach Ost-Berlin übersiedelte, fasste er seine Erkenntnisse in der theoretischen Schrift *Kleines Organon für das Theater* (1948) zusammen (vgl. GBA 23, S. 65–97).

Diese erläutert, inwieweit das zeitgenössische Theater falsche Abbildungen des gesellschaftlichen Lebens wiedergebe. Beim Zuschauer werde Einfühlung in die Figur erzeugt, deren Handlungen aus ihrem Charakter heraus bestimmt werden. So entstehe auf der Bühne eine »träumbare Welt«, in welche die Zuschauer vor ihrer Realität kurzzeitig entfliehen können, sinnvollen Genuss biete das Theater aber nicht.

Gegen das Nachempfinden setzt Brecht das Verstehen der Geschehnisse. In seiner Vorstellung legt nicht der Charakter der Figur deren Handlungen schicksalhaft fest, vielmehr sind die Dargestellten abhängig von den Verhältnissen, die um sie herum herrschen. Diese Verhältnisse wiederum werden von Menschen gemacht und aufrechterhalten, obgleich sie durch ihre Dauerhaftigkeit oft selbstverständlich und natürlich wirken.

Der Zuschauer im epischen Theater soll das vermeintlich Selbstverständliche als menschengemacht entlarven, indem er mit einem fremden Blick auf das Bekannte schaut. Um das zu erreichen, hat Brecht eine neue Spielweise entwickelt, die auf dem so genannten »Verfremdungseffekt« (auch: »V-Effekt«) beruht. Mit bestimmten Techniken verhindert dabei der Schauspieler die Einfühlung des Zuschauers, z. B. indem er seine Figur eher zeigt denn erlebt. Außerdem werden die Vorgänge auf der Bühne als Spiel bewusst gehalten, Kunst und Realität sollen nicht verwechselt werden. Die Wirklichkeit, v. a. auch die der Zuschauer, bleibt nach Brecht aber stetiger Bezugspunkt der Kunst. Viele dieser Techniken und Methoden lassen sich auch im *Kreidekreis* nachweisen (vgl. unter ›Deutungsansätze‹ den Abschnitt über episches Theater).

Weder die Orientierung an der Wirklichkeit, noch das Experimentieren mit darstellerischen Mitteln sagte in der DDR zu, wo man nach den Maßstäben des sozialistischen Realismus in den 1950er-Jahren verstärkt die Gestaltung eines positiven Helden mit sozialistischer Lebens- und Arbeitsmoral forderte und Formexperimente als Ausdrucksweise einer ›bürgerlichen Dekadenzliteratur‹ verstand. Auch dieses grundlegende Nichtver-

ständnis von Brechts Arbeit spiegelt sich in der Rezeptionsgeschichte des *Kaukasischen Kreidekreises* wider (vgl. Abschnitt
›Wirkungsgeschichte‹).

Sowohl für Brechts Gegenspieler im Osten als auch für die im
Westen war eine Verhaltensweise typisch: Ihre Einwände rich-
teten sich gegen die Person Brecht, seine Haltung zur DDR oder
seine Auffassung von Kunst. Die Werke Brechts gerieten dabei
an den Rand der Aufmerksamkeit und wurden höchstens als
Gelegenheit verstanden, die eigenen Vorurteile zu bestätigen.

Erst seit der Wiedervereinigung scheint ein freierer Umgang mit
dem umstrittenen Autor möglich. Dies kommt v. a. seinem
Werk zugute, dem man sich jetzt unvoreingenommener nähern
kann und dessen aktuelle Bezüge sich offener darlegen lassen als
je zuvor, so auch im Fall von *Der kaukasische Kreidekreis.*

### »Eine neue Zeit ist gekommen«

Das 1944 entstandene Stück lässt sich auf mehreren Ebenen zu
gegenwärtigen Themen und Begriffen in Beziehung setzen. Als
allgemeinster Bezugspunkt erweist sich die Darstellung der Figuren: Sie verhalten sich nicht gemäß einem festen Charakter,
vielmehr handeln sie nach erlernten Rollen – oder sie werden in
Abhängigkeit von Umständen oder anderen Menschen gezeigt,
was sie beeinflussbar macht. So ist die Gouverneursfrau nicht
›an sich‹ eine schlechte Mutter. Diese Art von Verantwortung ist
in ihrer gesellschaftlichen Position nicht üblich, stattdessen
kümmern sich Bedienstete um das Kind. Sie baut deshalb keine
Beziehung zu Michel auf und vergisst ihn in der kritischen Situation der Flucht einfach. Und der Bauer, der Grusche die
Milch zum Preis von einem Wochenlohn verkauft, ist nicht einfach ein geiziger Mensch, er ist arm und kann es sich nicht leisten, die Milch billig wegzugeben. Grusches Bruder Lavrenti wiederum ist nicht feige, weil er gegenüber seiner Frau nicht zu
Grusche hält. Er hat in den Hof eingeheiratet und fühlt sich
verpflichtet, den frommen Maßstäben seiner Frau, von der er
abhängig ist, Genüge zu leisten. Dieser soziologische Blick auf
den Menschen sensibilisiert die Wahrnehmung auch der eigenen
Lebenswelt aus dieser Perspektive.

Aktualität des
Stücks

Entlarvend wirken zudem die Darstellungen der Herrschenden im Stück. Machthungrig und berechnend benutzen sie das ›Volk‹, wenn sie auf Unterstützung angewiesen sind. Die Zusicherungen, die sie machen, sind leere Versprechungen und werden vergessen, sobald die eigene Position gefestigt erscheint: »Und wenn erst der Großfürst geschnappt ist, brauchen wir auch dem Pack nicht mehr in den Arsch zu kriechen«, erklärt der fette Fürst seinem Neffen (84,26–28). Die Reaktion der Panzerreiter (ebd.) zeigt deutlich, dass das ›Pack‹ nicht einfältig ist, die Situation wohl durchschaut und mit Verbitterung reagiert. Beide Phänomene lassen sich durchaus auch mit dem Verhalten demokratischer Politiker in Zeiten des Wahlkampfs oder der ›Politikverdrossenheit‹ ihrer Wähler in Verbindung bringen.

Darstellungen der Herrschenden

Als ›typisches Brecht-Thema‹ findet sich im *Kaukasischen Kreidekreis* wie in vielen anderen Werken des Autors die Frage, welches Verhältnis zwischen Armut und Reichtum besteht. Brecht legt das eine als Konsequenz aus dem anderen nahe: »So viele Pferde an seiner Krippe / Und so viele Bettler an seiner Schwelle«, heißt es über den Gouverneur (16,16–17). Und auch Grusche stellt eine solche Verknüpfung her: »Ginge es in goldnen Schuhn / Träte es mir auf die Schwachen / Und es müßte Böses tun / Und könnte mir lachen« (114,1–4). Deshalb ist in Grusches Welt die ›Verführung zur Güte‹ nötig, denn wer nicht beständig den eigenen Vorteil sichert und sich den Luxus leistet, einem Fremden zu helfen, schadet sich nur selbst. In einer konsumorientierten Wohlstandsgesellschaft ist die Neigung groß, diese Koppelung von Arm an Reich als unhaltbare Vereinfachung zu werten. Inwiefern der Wohlstand der Industrienationen in einer globalisierten Wirtschaft direkt in Beziehung zu setzen ist mit der Armut derer, die im wahrsten Sinne des Wortes für einen Hungerlohn und unter schlechtesten Bedingungen für Gesundheit und Umwelt in den so genannten Entwicklungsländern Waren für die Konsumgesellschaften produzieren, ist dennoch eine brisante Frage, die im Zusammenhang mit dem Stück diskutiert werden kann.

Verhältnis zwischen Arm und Reich

Ähnlich kritisch wird im Text das Verhältnis von Reichtum und Justiz beleuchtet. In der Probe, in der er den Großfürsten spielt, zeigt Azdak, wie das Recht seiner Zeit funktioniert: Die Mächtigen warten mit »fünfhundert« Anwälten auf (86,30), um ihre Interessen zu sichern; er befiehlt dem Richter in seiner Rolle, wann mit dem Verhör fortgefahren wird; und das Urteil, das bei dem ›Spiel im Spiel‹ über ihn gefällt wird, hebt er kurzerhand auf. Auch die Selbstverständlichkeit, mit der Azdak später als Richter bestochen wird, spricht eine eigene Sprache. Azdaks Art von Gerechtigkeit besteht darin, dass er zwar ›nimmt‹, sich davon aber in seiner Entscheidung nicht beeinflussen lässt. In der *Kreidekreis*-Szene ist das von entscheidender Bedeutung, denn Grusche hätte bei keinem anderen Richter Recht bekommen – schließlich muss sie mangels finanzieller Mittel ganz ohne Anwalt auftreten, während die Gouverneursfrau gleich zwei bezahlen kann. Die unterschiedlichen ökonomischen Voraussetzungen bedingen im normalen Rechtsalltag, dass die Kleinen wegen Kleinem belangt werden und die Großen mit Großem davonkommen (was auch heute nicht anders ist, will man dem formelhaft verwendeten Rat Glauben schenken, man solle im Bedarfsfall einen ›guten‹ Anwalt hinzuziehen). Diesen Widerspruch vermag Azdak für die kurze Zeit seiner Tätigkeit erkennbar zu machen und begründet damit eine unvergessene Ära »beinah der Gerechtigkeit« (117,15).

Mutterschaft Grusches Stellung als ledige Mutter ist als weiterer Schwerpunkt hervorzuheben. Das Stück thematisiert sehr bemerkenswert, unter welchen Rechtfertigungsdruck die Magd gerät, als sie plötzlich ein vermeintlich eigenes, uneheliches Kind zu versorgen hat. Zudem behandelt der Text, ob Mutterschaft biologisch oder sozial begründet ist. Die Gouverneursfrau hat keine besonders starke Bindung an ihren Sohn, ›obwohl‹ sie ihn geboren hat. Grusche wiederum entwickelt erst durch die gemeinsame Geschichte mit Michel eine Beziehung zu dem Kind. Klischees, die Frauen automatisch als ›gute Mütter‹ festlegen wollen, werden damit grundlegend in Frage gestellt. Unter dem Stichwort ›Entbiologisierung der Mutterschaft‹ wurde das von feministischer Seite in den 1970er-Jahren in den gesellschaftlichen Diskurs eingebracht.

Eigentumsverhältnisse Dass »da gehören soll, was da ist / Denen, die für es gut sind« (117,21–22) bezieht sich im *Kreidekreis* nicht nur auf Grusche und das Kind, sondern in einem weiteren Sinn auf Eigentumsverhältnisse im Allgemeinen. Freilich stößt man auch in diesem Punkt sehr schnell an die Grenzen dessen, was in einer besitzorientierten Gesellschaft überhaupt diskutierbar scheint. Die Vorstellung, dass Eigentum nicht etwa nach gesetzlichem Erbrecht verteilt wird, sondern nach Feststellung derer, die den ›höheren gesellschaftlichen Nutzen‹ für den Besitz bedeuten, zielt in den sensibelsten Bereich unserer Eigentumsvorstellungen überhaupt. Dennoch geben Beispiele von Erbregelungen in den neuen Bundesländern nach der Wende oder aus der Hausbesetzerszene in Hamburg zumindest Anlass, die Thematik als ein zeitgemäßes Problemfeld zu registrieren.

In einem neuen Licht kann auch das Vorspiel des *Kreidekreises* diskutiert werden, nachdem die politischen Kontroversen um den Autor verhallt sind. Es besteht kein Zweifel daran, dass Brecht das Vorspiel als utopische Projektion einer nicht existierenden (und nicht zwangsläufig sozialistischen) Gesellschaft konzipiert hat. Was das Ungewöhnliche der Figuren des Vorspiels ausmacht, ist die Art, wie sie sich über ihr Problem zu verständigen suchen: Sie treffen sich friedlich und diskutieren, um dann eine gemeinsame Entscheidung zu treffen, die von keinem Vorgesetzten oder Repräsentanten verändert werden wird. Damit hat sich in der Welt des Vorspiels das Postulat aus Brechts Gedicht *Die Ballade vom Wasserrad* erfüllt: »Ihr versteht: ich meine / Daß wir keine anderen Herren brauchen, sondern keine!« (GBA 14, S. 207).

Utopisches Gesellschaftsmodell

Auffallend ist im Vorspiel außerdem, welche Rollen den Frauen zugeschrieben werden: Sie sind technisch-wissenschaftliche Expertinnen, stehen in den Diskussionen den Männern in nichts nach und haben im Krieg mitgekämpft. Wenn man bedenkt, dass Frauen in Deutschland bis 1957 ohne die Erlaubnis des Ehemanns nicht berufstätig sein durften, bis 1971 nicht für kompetent genug gehalten wurden, um als Nachrichtensprecherinnen im Fernsehen politische Zusammenhänge darzustellen, und erst seit dem Jahr 2000 den Dienst an der Waffe als Aufgabe annehmen können, wird die imposante Vorausschau des Vorspiels in diesem Punkt offensichtlich.

Rolle der Frau

Und auch das Gewicht, das die Kunst im Vorspiel erhält, ist bemerkenswert. Während der Tabak, der Wein und die Diskus

Rolle der Kunst

sionen rationiert werden müssen, darf das ›Spiel im Spiel‹, das von den Kolchosenmitgliedern aufgeführt wird, nicht gekürzt werden (S. 15 f.). Dies hängt v. a. damit zusammen, dass in der Aufführung zu den Problemen der Wirklichkeit Stellung bezogen wird. Kunst dient nicht der Ablenkung von der Realität, sie will Haltungen und Denkanstöße für die eigene Lebenswelt anbieten, was sie zu einer unverzichtbaren Kategorie macht.

# Entstehungs- und Textgeschichte

Der Kreidekreisstoff, bei dem die Erprobung der ›wahren‹ Mutter eines Kindes mit Hilfe eines Kreidekreises im Mittelpunkt steht, stammt ursprünglich aus dem chinesischen Kulturkreis, worauf der Sänger im Vorspiel des Stücks selbst verweist (15,13–15). In Deutschland wurde der Stoff durch die freie Bearbeitung des aus dem 13. Jahrhundert stammenden chinesischen Dramas *Der Kreidekreis* von Li Hsing-tao durch Klabund (d. i. Alfred Henschke, 1890–1928) bekannt, dessen gleichnamiges Stück 1925 in Frankfurt am Main Premiere hatte. Brecht lernte den Stoff über Klabunds Bearbeitung in der Inszenierung des Deutschen Theaters in Berlin kennen, wo er zu dieser Zeit Dramaturg war. Die Kreidekreisprobe erinnert an die berühmte Entscheidung des weisen Salomon, von der in der Bibel (1. Buch der Könige 3,16–28) berichtet wird. Salomon fand die wahre Mutter durch eine Schwertprobe: Er gab vor, das Kind, um das der Streit ging, mit dem Schwert teilen zu wollen. Die leibliche Mutter überließ darauf ihr Kind der fremden Frau, um es am Leben zu wissen, weshalb Salomon sie als die richtige Mutter erkannte. Wie im Alten Testament ist auch in der chinesischen Quelle und den europäischen Bearbeitungen die leibliche Mutter immer diejenige, der das Kind zugesprochen wird.

Quelle des Kreidekreis-stoffes

Das Motiv der Kreidekreisprobe fand in Brechts Werk 1926 eine erste Verwendung. In *Das Elefantenkalb / oder Die Beweisbarkeit jeglicher Behauptung*, dem Anhang des Stücks *Mann ist Mann*, soll das Elefantenkalb, das von einem Soldaten dargestellt wird, die Zugehörigkeit zu seiner Mutter beweisen, die in Umkehrung zum ursprünglichen Motiv vom Kind aus dem Kreis gezogen wird (vgl. GBA 2, S. 165 f.). Die Kreidekreisprobe dient hier als grotesker »Originalhauptbeweis« (ebd., S. 165). Brecht verwendete das Motiv als Parodie und direkte Anspielung auf den Klabund-Text, der den Zeitgenossen sicherlich bekannt war.

Erste Verwendung des Motivs 1926

Erste Pläne zu einem eigenständigen *Kreidekreis*-Stück entwarf Brecht 1938 während seiner Exilzeit in Dänemark. Zunächst orientierte er sich an dem chinesischen Hintergrund des Stoffs, plante dann aber, die Handlung in die dänische Stadt Odense zu verlegen. Skizzen und Bruchstücke des nie ausgearbeiteten *Odenseer Kreidekreises* sind im Nachlass erhalten (vgl. Duchardt 1998, S. 41 f.).

*Der Augs-*
*burger Kreide-*
*kreis*, 1940
Eine erste Ausführung des Stoffs findet sich in der 1940 entstandenen Erzählung *Der Augsburger Kreidekreis* (GBA 18, S. 341–354; vgl. ›Anhang‹), die Brecht während seiner Zeit in Schweden schrieb. Viele Elemente der Geschichte wurden später, z. T. wörtlich, in das Theaterstück aufgenommen. So ist die leibliche Mutter wie im *Kaukasischen Kreidekreis* während des kriegerischen Angriffs mit dem Packen der Wertsachen beschäftigt, statt sich um ihr Kind zu kümmern. Die Magd hat auch hier zunächst nicht vor, sich des Jungen anzunehmen; erst als sie »zu lange gesessen und zuviel gesehen hatte, um noch ohne das Kind weggehen zu können« (123,20–22), nimmt sie es mit. Desgleichen flieht die Magd Anna zu ihrem Bruder auf einen Bauernhof, gibt das Kind dort als ihr eigenes aus und heiratet schließlich einen augenscheinlich Todkranken, der wieder gesundet. Der Richter Dollinger fällt am Ende ebenfalls mit Hilfe der Kreidekreisprobe das Urteil, dass die Magd das Kind behalten darf. Ein wichtiger Unterschied zwischen Erzählung und Drama besteht im Fehlen der Liebesgeschichte im *Augsburger Kreidekreis*. Die Beziehung von Grusche und Simon im späteren Stück erhöht die Spannung und lässt das Opfer, das die Magd für den Jungen erbringt, noch größer wirken.

Filmstoff,
1942
Etwa 1942 muss Brecht dann einen Film geplant haben, der unter dem Titel *Der Kreidekreis in den Bürgerkriegen* den Stoff behandeln sollte. Den historischen Kontext wollte er hierfür in die Zeit des amerikanischen Sezessionskriegs (1861–1865) verlegen (vgl. Duchardt 1998, S. 43; Mews 2001, S. 513).

Inszenierung
am Broadway
Im Spätsommer 1943 – der Stückeschreiber befand sich zu dieser Zeit im amerikanischen Exil – lernte Brecht die österreichische Schauspielerin und zweifache Oscar-Preisträgerin Luise Rainer (* 1910) kennen und entwickelte mit ihr Pläne für ein *Kreidekreis*-Stück am Broadway. Sie setzte sich bei dem New Yorker Theaterunternehmer Jules J. Leventhal für Brecht ein. Leventhal war bereit, die Finanzierung eines für Rainer geeigneten Broadwaystücks zu übernehmen und vergab an Brecht einen Auftrag

dafür. Im Februar 1944 wurden Vereinbarungen unterzeichnet, in denen sich Brecht gegenüber Leventhal und dessen Geschäftspartner Robert Reud verpflichtete, ein Stück mit dem Titel *Der kaukasische Kreidekreis* zu schreiben.

Bereits im März begann Brecht, gemeinsam mit seiner Freundin Ruth Berlau in New York, die er für die Mitarbeit an dem Stück bezahlte (vgl. Hecht 1997a, S. 731), mit einer ersten Ausarbeitung des *Kreidekreises*. Im Nachhinein hat Berlau den *Kreidekreis* als die »für mich wichtigste gemeinsame Arbeit mit Brecht« bezeichnet (Bunge 1985b, S. 199). Auch mit anderen Mitarbeitern und Freunden, hauptsächlich mit dem Komponisten Hanns Eisler (1898–1962), den Schriftstellern Lion Feuchtwanger und Hans Winge (1903–1968) sowie dem Drehbuchautor Hans Viertel (* 1919) diskutierte Brecht die Arbeit an seinem Stück. Dieses lag Anfang Juni abgeschlossen vor und bestand, wie die späteren Fassungen, aus einem Vorspiel und fünf Akten. Bei der Geschichte der Magd, die in dieser Fassung »Katja« heißt, orientierte sich Brecht stark an der Fabelführung des *Augsburger Kreidekreises*, fügte aber zahlreiche neue Details in die Handlung ein. Die Geschichte des Richters war an die des *Odenseer Kreidekreises* angelehnt. Noch während der Arbeit an dem Stück begann Brecht, geeignete Übersetzer für eine amerikanische Fassung zu suchen (vgl. Lyon 1985, S. 119–123).

Brechts Selbstzeugnisse aus dieser Zeit dokumentieren, dass die Auftragsarbeit nicht einfach für ihn war: Zum einen hatte er endlich eine Gelegenheit, eines seiner Stücke auf einer amerikanischen Bühne zu platzieren, zum anderen sah er sich dadurch aber genötigt, inhaltliche Kompromisse einzugehen (man denke an das Brecht-untypische Happy End am Schluss oder die zarte Liebesgeschichte zwischen Grusche und Simon). Am 10. April 1944 notierte Brecht: »Interessant, wie viel diese Schere ›Auftrag‹ und ›Kunst‹ zerstört. Ich dramatisiere mit Unlust in diesem leeren, wunschlosen Raum« (*Journale*; GBA 27, S. 184). Brechts »Abscheu vor der kommerzialisierten Dramatik des Broadway« (GBA 24, S. 341) wirkte sich aber auch entscheidend auf die ungewöhnliche Konstruktion des Dramas aus.

Inzwischen war Luise Rainer allerdings an dem Stück nicht mehr interessiert, sodass eine Aufführung am Broadway unter ihrer

Mitwirkung nicht realisierbar schien. Da Brecht nun nicht mehr an Rainers Rollentypus gebunden war, stellte er im Juli und August 1944 eine zweite Fassung her. In dieser veränderte er v. a. die Gestaltung der Magd, für die er »die *Tolle Grete* des Breughelbilds« (GBA 27, S. 198) vor Augen hatte, die Figur aus einem Gemälde des niederländischen Malers Pieter Bruegel dem Älteren (~ 1525–1569), das 1562 entstanden war. Außerdem änderte er die überwiegend russischen Namen der Figuren in vornehmlich georgische (eine vollständige Liste der Namensän-

Erstdruck

derungen findet sich in GBA 8, S. 460 f.). Der Erstdruck des Stücks, der 1949 in einem Brecht-Sonderheft der Zeitschrift *Sinn und Form* erschien, basierte auf der Reinschrift dieser zweiten Fassung aus dem Jahre 1944. Dieser Druck des *Kreidekreises* war das erste Drama des Stückeschreibers aus der Exilzeit, das nach dem Krieg in Deutschland publiziert wurde. Brecht sah es deshalb als eine »Art Aufnahmegesuch in die Literatur« an (Brief an Peter Huchel, 1. Juli 1949; GBA 29, S. 539).

Dritte Fassung, 1954

Eine überarbeitete dritte Fassung erschien in Heft 13 der *Versuche*-Reihe (1954). Diese entstand im Zusammenhang mit den Proben zur Inszenierung des *Kreidekreises* am Berliner Ensemble, bei denen Brecht zahlreiche Veränderungen am Text vornahm. Die Namen der Kolchosen im Vorspiel wurden vertauscht und zahlreiche Regieanweisungen überarbeitet. Diese Fassung bildet die Textgrundlage dieses Bandes.

Durch die Probleme, die sich um das Vorspiel ergaben (vgl. die Abschnitte ›Wirkungsgeschichte‹ und ›Deutungsansätze‹), hielt Brecht kurz vor seinem Tod im August 1956 zwei Änderungswünsche für spätere Ausgaben fest. Neben einer kurzen Textergänzung (vgl. GBA 8, S. 463 f.) wollte er das gesamte Vorspiel als 1. Akt des Stücks integrieren, um zu verhindern, dass es von Regisseuren einfach weggelassen wurde. Diese und weitere Umgestaltungen nahm Brechts Mitarbeiterin Elisabeth Hauptmann nach dem Tod Brechts vor und publizierte diese veränderte Fassung als Band X der Stücke (1957). Der Text wurde in die Werkausgabe sowie in die edition-suhrkamp-Reihe übernommen und bislang als Schullektüre verwendet. Editionswissenschaftlich betrachtet handelt es sich bei dieser Fassung nicht mehr um einen authentischen Brecht-Text, weil bedeutsame Veränderungen nicht vom Autor selbst durchgeführt wurden, sondern lediglich als Willenserklärung vorliegen. Ohnehin hat diese letzte Fassung keinen Einfluss auf die Öffentlichkeit genommen, es sind die auf den Bühnen gespielten Fassungen von 1949 und 1954, die historisch wirksam geworden sind. Das zeigt sich nicht zuletzt daran, dass in der wissenschaftlichen Literatur durchgehend das Vorspiel benannt wird, obwohl in der überwiegenden Zahl der Fälle die Hauptmann-Fassung der Analyse zugrunde lag.

Im Juni 1956 griff Brecht den Kreidekreisstoff ein letztes Mal auf. Der Prosatext *Der kaukasische Kreidekreis*, der die Fabel des Dramas erzählt, entstand für einen Band mit Zeichnungen des polnischen Grafikers Tadeusz Kulisiewicz, die dieser von der Aufführung des Stücks 1955 in Berlin angefertigt hatte. Der Band wurde erst nach Brechts Tod veröffentlicht. Inhaltlich gibt die Erzählung die Handlung des Stücks genau wieder (GBA 20, S. 204–210; vgl. ›Anhang‹).

Prosatext Der kaukasische Kreidekreis, 1956

# Wirkungsgeschichte

*Bühnenrezeption*

Es zählt »zu den Rätseln [der] Exilzeit« Brechts, weshalb sein *Kreidekreis* nicht auf dem Broadway aufgeführt wurde, denn Leventhal schien eine Inszenierung zu unterstützen, selbst als Luise Rainer zurückgetreten war (Lyon 1985, S. 123). Bis zu Brechts Abreise aus den Vereinigten Staaten 1947 kam aber keine Aufführung des Stücks zustande. Die Uraufführung fand Anfang Mai 1948 im Carleton College in Northfield (Minnesota) statt. Als Textgrundlage wurde eine Übersetzung von Eric und Maja Bentley verwendet, die Brecht nicht autorisiert hatte. Auch andere Colleges in den USA, England, Schweden und Finnland spielten das Stück in der Folgezeit. Als eigentliche Uraufführung wertete Brecht die Inszenierung des Stücks am Stadsteatern in Göteborg (Schweden), die am 23. Mai 1951 Premiere hatte und bei der das Vorspiel nicht aufgeführt wurde.

Uraufführung in den USA

Mit den Proben zur deutschen Erstaufführung begann Brecht, der dabei selbst Regie führte, im November 1953. Paul Dessau, an den Brecht sich schließlich gewandt hatte, nachdem er sich vergeblich um eine Zusammenarbeit mit Hanns Eisler, Carl Orff (1895–1982) und Boris Blacher (1903–1975) bemüht hatte, komponierte eine Musik zum Stück, die in zweiter Fassung Brechts Zustimmung fand (vgl. Mews 2001, S. 528). Alles in allem gab es drei Probenphasen mit insgesamt 125 Probentagen bis Juni 1954; in der Zwischenzeit bezog das Berliner Ensemble außerdem das Theater am Schiffbauerdamm. In Brechts Gedicht *1954, erste Hälfte* heißt es über diese Zeit:

Deutsche Erstaufführung

> »Ohne schwere Krankheit, ohne schwere Feindschaft.
> Genug Arbeit.
> Und ich bekam meinen Teil von den neuen Kartoffeln
> Den Gurken, den Spargeln, den Erdbeeren.
> Ich sah den Flieder in Buckow, den Marktplatz von Brügge
> Die Grachten in Amsterdam, die Hallen von Paris.
> Ich genoß die Freundlichkeiten der lieblichen A.T.

Ich las die Briefe des Voltaire und Maos Aufsatz über den Widerspruch.
Ich machte den Kreidekreis am Schiffbauerdamm«.
(GBA 15, S. 281)

Erste Voraufführungen wurden im Juni und August gegeben, bevor am 7. Oktober 1954 die Premiere stattfand. Die Inszenierung des *Kreidekreises* »zählt zu den bedeutendsten Regiearbeiten Brechts« (Duchardt 1998, S. 68).

Von der Kritik in der DDR wurde das Drama bereits nach den ersten öffentlichen Voraufführungen heftig angegriffen, was in einer kulturpolitischen Auseinandersetzung über das epische Theater insgesamt mündete. V. a. der formale Aufbau des Stücks wurde beanstandet. Der Kritiker Ernst Kluft sah den *Kreidekreis* »ohne eigentlichen dramaturgischen Kern« (*Neue Zeit*, 29.10.1954). Hans-Ulrich Eylau vermisste »das dramatische, um einen zentralen Konflikt mit seiner Lösung gruppierte konzentrierte Schauspiel«, das er auf einer Bühne erwartete, und schloss auf den *Kreidekreis*: »Vieles war hinreißend schön daran [...] – aber Theater gab es nicht« (*Berliner Zeitung*, 12.10.1954). Anstoß nahm man aber auch am Inhalt, so etwa an Brechts neuer Akzentuierung der Mutterschaft, die Jürgen Rühle vehement ablehnte: »Verzeihen Sie, Bert Brecht, die Dialektik in Ehren, aber ich glaube, daß auch in der sozialistischen Gesellschaft das Muttertum ein biologischer und kein sozialer Prozeß ist« (*Sonntag*, 17.11.1954). Die »Obszönitäten (zum Beispiel die Rede des Bauern im Badezuber)« wurden von Rudolf Harnisch als »entbehrlich« charakterisiert (*Tägliche Rundschau*, 3.11.1954). Eine besondere Rüge war die Reaktion des *Neuen Deutschland*: Die Parteizeitung der SED ignorierte die Inszenierung einfach.

Zusätzlich verschärft wurde die Diskussion durch Fritz Erpenbeck (1897–1975), den Chefredakteur der einflussreichen Zeitschrift *Theater der Zeit*, der (zum wiederholten Mal) eine Grundsatzdebatte gegen Brecht und sein episches Theater in Gang brachte, die bis 1955 auf verschiedenen Ebenen fortgesetzt wurde (vgl. GBA 8, S. 471; Mews 2001, S. 529). Brecht selbst schwieg zu den Vorwürfen. In einer 1954 verfassten, aber nicht veröffentlichten Schrift hielt er u. a. fest, dass er die Diskussion um rein Formales ablehne, vielmehr sollten die »gesellschaftlichen Zwecke« der Kunstmittel betrachtet werden (GBA 23, S. 314). Außerdem schätze er eine Diskussion mit Erpenbeck von vornherein als nicht fruchtbar ein, da der sich seiner Theorie gänzlich verschließe: »Wie soll eine Linde mit jemandem diskutieren, der ihr vorwirft, sie sei keine Eiche?« (ebd.).

Westdeutsche Rezeption

Den Schwerpunkt der westdeutschen Kritik bildeten inhaltlich-ideologische Bedenken, die v. a. durch das Vorspiel ausgelöst wurden. Als »die perfekte Wiedergabe eines perfekten Stückes marxistischer Klassendramatik« wertete Sabina Lietzmann die Inszenierung (*Die Zeit*, 14.10.1954). Selbst Friedrich Luft (1911–1990), der Brechts Arbeit gegenüber zuvor aufgeschlossen gewesen war, tadelte den Stückeschreiber nun als »Ideologen«, »Didakten« und »Zeigefinger-Theatraliker« (*Die Neue Zeitung*, 31.10.1954).

Erst durch die Gastspiele des Berliner Ensembles vom 20. bis 24. Juli 1955 in Paris änderte sich die Einschätzung über die Inszenierung. Sowohl die Zuschauer als auch die Kritiker reagierten, bis auf wenige Ausnahmen, mit Begeisterung. Die Pariser Gastspiele begründeten Brechts internationale Anerkennung, welche sich wiederum auf seine Position in der DDR positiv auswirkte. Gastspiele in London (1956) und Moskau (1957) folgten. Bis Ende 1958 wurde das Stück in dieser Inszenierung 175-mal gespielt.

Erste westdeutsche Inszenierung

Negative Reaktionen erntete zunächst auch die erste westdeutsche Inszenierung, die unter der Leitung von Harry Buckwitz (1904–1989) am 28. April 1955 im Frankfurter Schauspielhaus Premiere hatte. Schon im Vorfeld hatte die Stadtverordnetenfraktion der CDU versucht – mit Verweis auf Brechts (vermeintliche) Reaktion auf den 17. Juni 1953 –, die Aufführung unterbinden zu lassen. Die Debatte spitzte sich zu, als bekannt wurde, dass das Stück bei den Ruhrfestspielen 1955 am Vorabend des 17. Juni aufgeführt werden sollte.

Brecht hatte die Probenarbeit in Frankfurt in der letzten Phase begleitet. Auf das Vorspiel wurde bei dieser Inszenierung mit seinem Einverständnis verzichtet. Die Kritik urteilte dennoch eher negativ, allerdings war die Resonanz überwältigend: Annähernd 100 Zeitungen besprachen das Stück in kürzeren oder längeren Beiträgen (vgl. Mews 2001, S. 529). Viele Rezensenten sahen wie Hans Kloos im *Kreidekreis* »ein ausgesprochen sowjetisches Tendenzstück« (*Wiesbadener Kurier*, 30.4.1955). Bei den Kritiken zur Aufführung bei den Ruhrfestspielen in Recklinghausen deutete sich aber eine erste Neueinschätzung an, etwa bei Gerhard Hoffmann, der das Drama als »ein in sich geschlossenes Kunstwerk von hohen Graden und tiefgründiger Aussagekraft« beschrieb (*Westfälische Rundschau*, 16.6.1955). Inzwischen zählt *Der kaukasische Kreidekreis* zu den meistgespielten Texten Brechts im In- und Ausland. Allein in Westdeutschland wurde das Stück bis 1989 über 90-mal inszeniert. Und auch nach New York fand das Stück schließlich zurück: 22 Jahre nach seiner Entstehung wurde es erstmals in der Stadt aufgeführt, für die es eigentlich geschrieben worden war.

## Andere Rezeptionsformen

Um die Arbeit des Berliner Ensembles in anderen Medien bekannt zu machen, wurde am 9. November 1954 im Deutschen Demokratischen Rundfunk das Hörspiel *Der kaukasische Kreidekreis. Die Geschichte der Grusche* ausgestrahlt. Die Leitung der Produktion hatte die Schauspielerin und Regisseurin Isot Kilian (1924–1986) inne.

Hörspiel

Bis Ende der 1970er-Jahre erlebte der Brecht'sche *Kreidekreis* mehrere Verfilmungen. Die erste Fernsehbearbeitung produzierte der Süddeutsche Rundfunk (Regie: Franz Peter Wirth und Hans Gottschalk). Am 25. September 1958 strahlte die ARD den Film erstmals aus. Von der Kritik wurde die Bearbeitung durchweg positiv aufgenommen (vgl. Hecht 1997b, S. 155–157). Als große Entdeckung für das Fernsehen pries man Käthe Reichel, die schon für die Buckwitz-Inszenierung in Frankfurt am Main als Gast vom Berliner Ensemble die Rolle der Grusche gespielt hatte.

Verfilmungen

In der DDR entstanden zwei Produktionen für das Fernsehen. Am 9. Februar 1973 wurde eine Fernsehbearbeitung im ersten Programm gezeigt, bei der Lothar Bellag (* 1930) und Peter Jakubeit Regie geführt hatten. Zehn Jahre später strahlte das zweite Programm des DDR-Fernsehens Peter Kupkes' (* 1932) Neuinszenierung des *Kreidekreises* für das Berliner Ensemble (Erstaufführung 1976) aus.

Selbst im Ausland wurde Brechts Text für das Fernsehen entdeckt. In Finnland entstand ein Dreiteiler des *Kreidekreises*, in Polen ein knapp einstündiger Fernsehfilm (vgl. Hecht 1997b, S. 270 f.).

**Puppenspiel** Andere Kunstformen wandten sich ebenfalls dem *Kaukasischen Kreidekreis* zu. 1957 realisierte das Warschauer Puppentheater Lalka den *Kreidekreis* als Puppenspiel. Das tschechische Puppentheater Naivní divadlo Liberec setzte Ende der 1980er-Jahre erneut eine Bearbeitung mit Puppen um. Diese wurde vom Fernsehsender Ceska Televize (CST) in Prag aufgezeichnet und am 20. Mai 1989 erstmals ausgestrahlt.

**Auflagenhöhe und Übersetzungen** *Der kaukasische Kreidekreis* ist auch in Textform eines der meistrezipierten Werke des Stückeschreibers. In deutscher Sprache erreichte es allein in den verschiedenen Ausgaben des Suhrkamp Verlags eine Auflage von über 1,7 Millionen Exemplaren. Übersetzungen liegen u. a. auf Englisch, Französisch und Italienisch vor, türkische und portugiesische Fassungen sind in Vorbereitung.

**Schullektüre** Die breite Wirkung des Texts ist in Deutschland v. a. darauf zurückzuführen, dass der *Kreidekreis* – wenn auch in unterschiedlicher Gewichtung – in beiden Staaten als Schullektüre erschlossen wurde, wobei auch hier die allgemeine Rezeption Brechts eine wichtige Rolle spielte (vgl. Sauer 1984, S. 5). In den westdeutschen Lehrplänen wurde der *Kreidekreis* zumeist mit den Stücken *Mutter Courage und ihre Kinder*, *Leben des Galilei* und *Der gute Mensch von Sezuan* als Empfehlung genannt. Erstmals vorgeschlagen wurde das Stück 1957 in Hessen, zunächst für die Gymnasien, ab 1965 dann auch für die Volksschulen (vgl. ebd., S. 60, S. 111). In der DDR spielte das Stück als Schullektüre eine untergeordnete Rolle.

# Deutungsansätze

Die Aufmerksamkeit, die dem *Kaukasischen Kreidekreis* in den Theatern, den Medien und den Schulen zuteil wurde, findet eine Entsprechung in den zahlreichen Interpretationen und wissenschaftlichen Publikationen zu dem Stück. Dabei lassen sich thematisch fünf Schwerpunkte ausmachen. Neben den Elementen des epischen Theaters wurde das Vorspiel, nicht zuletzt aufgrund der negativen Einschätzungen der Rezensenten in Ost und West, mit besonderer Intensität von der Forschung untersucht. Viele Arbeiten widmen sich außerdem den beiden Protagonisten Grusche und Azdak. Die Kreidekreisprobe findet ebenfalls großes Interesse in der wissenschaftlichen Literatur.

## Theorie in Praxis umgesetzt: Brechts episches Theater

Der *Kaukasische Kreidekreis* gehört zu den poetischsten Dramen Brechts. Zugleich hat der Stückeschreiber in diesem »seine Theorie des epischen Theaters in starkem Maße umgesetzt« (Mews 2001, S. 525), was von der Forschung ausführlich beleuchtet wurde.

Durch das vorgeschaltete Vorspiel ist die Kreidekreisgeschichte, was ihren künstlichen Charakter hervorhebt, als ›Spiel im Spiel‹ gekennzeichnet. Die Technik wird im Lauf der Handlung wiederholt aufgenommen: Grusche gibt sich als reiche Dame aus, Jussup täuscht vor, sterbenskrank zu sein, und der Großfürst spielt einen armen Mann (vgl. Mews 2001, S. 527).

Für das klassische Drama undenkbar wäre auch der Aufbau des Stücks. Die Azdak- und die Grusche-Handlungsstränge werden nacheinander erzählt, obwohl sie zeitgleich ablaufen (vgl. ebd., S. 519; Buck 1984, S. 210; Jendreiek 1969, S. 303). Zudem stehen die Handlungen zunächst unverbunden nebeneinander (vgl. Poser 1988, S. 47). Ebenso wie die Lieder dienen diese Elemente dazu, dem Zuschauer immer wieder aufzuzeigen, dass er ein künstlich hergestelltes Geschehen auf einer Bühne verfolgt. Damit er sich auf die Vorgänge selbst konzentrieren kann, werden wichtige Ereignisse (z. B. der Tod des Gouverneurs) in den

**Aufbau des Dramas**

Kommentaren des Sängers vorweggenommen, statt der ›Was‹-Spannung rückt die ›Wie‹-Spannung in den Vordergrund (vgl. Mews 2001, S. 526).

Funktion des Sängers Überhaupt kommt dem Sänger eine besondere Bedeutung innerhalb des Dramas zu, wie in der Forschungsliteratur immer wieder betont wird. Er ist es, der die beiden Geschichten mitteilt, seine Erzählung »bildet die Achse des Stücks« (Jendreiek 1969, S. 302). Darüber hinaus hat er noch andere Funktionen. Er stellt die Figuren vor und führt in die Handlung ein (vgl. Poser 1988, S. 53). Obendrein weiß er, was die Figuren denken, wenn sie verstummen, und teilt es dem Zuschauer in poetischer Sprache mit, so etwa, wenn Grusche und Simon sich nach dem Krieg wiedersehen oder als Grusche vor Gericht nicht erklären kann, warum sie sich Michel nicht reich wünscht (vgl. Jendreiek 1969, S. 311). Sogar Anweisungen kann der Sänger den Figuren geben, womit er die Rolle eines »Spielleiters« (Mews 2001, S. 525) erfüllt. Immer wieder schaltet er sich kommentierend ein, was an einen griechischen Chor erinnert (vgl. Jendreiek 1969, S. 306). Seine »Verfügungsgewalt« (ebd., S. 317) geht so weit, dass er über die Zeit bestimmt, indem er auswählt, welche Ereignisse ›nur‹ von ihm erzählt und welche szenisch dargestellt werden (vgl. ebd., S. 307 f.; Poser 1988, S. 53).

*Das Vorspiel in der wissenschaftlichen Literatur*

Nicht nur in den Rezensionen, die nach den Inszenierungen des *Kreidekreises* veröffentlicht wurden, auch in der wissenschaftlichen Literatur wurde die Bedeutung des Vorspiels eingehend diskutiert. Dabei wurde die Argumentation der zahlreichen Theaterkritiken überprüft. Helmut Jendreiek stellte zu diesen zusammenfassend fest, dass sich die Kritiker des Vorspiels »eindeutig politischer, nicht aber dramaturgischer Argumente« bedienten (Jendreiek 1969, S. 297 f.). Die Behauptung, Brecht habe das Vorspiel aus ideologischen Gründen eingebaut (vgl. Bunge 1985a, S. 147), ließe sich schon allein damit widerlegen, dass es weder die DDR-Presse noch die in der Sowjetunion positiv bewerteten (vgl. Jendreiek 1969, S. 301; Bunge 1985a, S. 148). Vielmehr wurde es hier abgelehnt, weil es »ein falsches

Bild der sowjetrussischen Wirklichkeit« zeige (Jendreiek 1969, S. 302). Im Gegensatz zur Einschätzung der westdeutschen Kritik hat Brecht mit dem Vorspiel nicht etwa ein idealisierendes Bild der historischen Wirklichkeit dargestellt, sondern einen bewussten Kontrast zum real existierenden Sozialismus herausgearbeitet: Er zeigt eine Welt, in der das Volk sich selbst verwaltet und ohne Hilfe Bevollmächtigter eigenverantwortliche Entscheidung basierend auf der Vernunft trifft. Von dieser »Utopie« (Müller-Michaels 1996, S. 80) waren die kommunistischen und sozialistischen Staaten weit entfernt.

In diesem Zusammenhang widmete sich die Forschung auch der Frage, in welchem Verhältnis das Vorspiel zum ›eigentlichen‹ Stück stehe. Brecht selbst hielt dazu fest:

Verhältnis des Vorspiels zum Stück

> »Der ›Kaukasische Kreidekreis‹ ist keine Parabel. Das Vorspiel könnte darüber einen Irrtum erzeugen, da äußerlich tatsächlich die ganze Fabel zur Klärung des Streitfalls wegen des Besitzes des Tals erzählt wird. Genauer besehen aber enthüllt sich die Fabel als eine wirkliche Erzählung, die in sich selbst nichts beweist, lediglich eine bestimmte Art von Weisheit zeigt, eine Haltung, die für den aktuellen Streitfall beispielhaft sein kann« (GBA 24, S. 342).

Diese Einschätzung wurde von der wissenschaftlichen Literatur zumeist übernommen, wenn auch mit unterschiedlicher Begründung. So bewertet Renata Berg-Pan das *Kreidekreis*-Geschehen nicht als Parabel; das Gemeinsame zwischen Vorspiel und Stück äußere sich in dem Gedanken, dass eine neue Welt neue Vorstellungen von Gerechtigkeit benötige (Berg-Pan 1975, S. 222). Ähnlich sieht auch Jendreiek im Vorspiel das »Modell eines Gesellschaftszustandes« entworfen, in dem, »was in Azdak als legendär-utopische Ausnahme erscheint, [...] als allgemeine Norm des Denkens und Handelns realisiert« wird (Jendreiek 1969, S. 299). Dabei betont er ein »Gegenüber von Vorspiel und Kreidekreisgeschichte« (ebd., S. 298), d. h., auch er erkennt in der *Kreidekreis*-Handlung keine Parabel, deren Lösung man einfach auf das Problem der Kolchosen übertragen kann (vgl. dazu Bunge 1985a, S. 152). Theo Buck stuft die Vorspielhandlung als »aktuelle Verwirklichung historisch angelegter Tendenzen« ein (Buck 1984, S. 206), denn aus der Perspektive der Kolchosbauern zeige die *Kreidekreis*-Geschichte die »überwundene Stufe einer gesellschaftlichen Entwicklung, die in der sozialistischen Ordnung der neuen Zeit ihren Abschluß gefunden hat« (Hahnengreß 1989, S. 60). Das ›Spiel im Spiel‹ erfüllt so den »Charakter einer historischen Vergewisserung« (ebd.).

Im Gegensatz zu den Aussagen des Stückeschreibers und der zitierten Wissenschaftler geht Peter Michelsen davon aus, Brecht sei es um die Darstellung »eines Analogie-Verhältnisses zwischen dem Streit um das Tal und dem Streit um das Kind« gegangen (Michelsen 1983, S. 193). Dennoch macht sein Aufsatz auf einige interessante Gesichtspunkte aufmerksam. Michelsen erläutert an konkreten Beispielen, dass der Zuschauer die Argumente der Kolchosbauern inhaltlich nicht überprüfen kann (ebd., S. 194). Die Sympathie, die man für den Obstbaukolchos entwickelt, rührt eher daher, dass Brecht den Mitgliedern dieser Kolchose positiver wirkende Eigenschaften beigibt: Sie sind jünger, haben während des Kriegs ihre Heimat aktiv verteidigt und sind in wissenschaftlich-technischer Hinsicht besser ausgebildet (ebd., S. 195–198). Gleichzeitig betont Michelsen, dass der »Streitfall [...] in der kapitalistischen Gesellschaft mit identischer Grundstruktur denkbar« wäre (ebd., S. 199), weil es »um die Opposition zweier Haltungen« gehe: »der Haltung einerseits einer traditionalistisch-gefühlhaften Bindung und andererseits derjenigen einer utilitaristischen, das Nutzungspotential rational berechnenden Beziehung zu dem in Frage stehenden Streitobjekt« (ebd.).

### Grusche – eine Mutter wider Willen

Bei der Deutung der Grusche-Figur ist zumeist ihre Motivation, sich des Kindes anzunehmen, untersucht worden. Oftmals ist die Rede von einer Verführung durch »mütterlichen Instinkt« (vgl. Spaethling 1971, S. 76). Oder die Tat wird als Akt »spontaner Nächstenliebe« gedeutet (Buck 1984, S. 207), Grusche wird dabei als »Muttertier« gesehen (ebd., S. 209; vgl. auch Fenn 1982, S. 182).

Im Gegensatz dazu verweisen andere Interpreten auf die »zögerliche Annahme des Kindes« durch die Magd (Müller-Michaels

1996, S. 72). Grusche fasse ihren Entschluss weder spontan noch instinktiv, vielmehr denkt sie, neben dem kleinen Michel verharrend, eine ganze Nacht darüber nach, was zu tun ist (vgl. Poser 1988, S. 19). Sie kommt zu dem Schluss, dass ihr nichts anderes übrig bleibt, als dem Kind zu helfen. Dabei begreift sie durchaus die Nachteile, die dadurch für sie erfolgen (vgl. Mews 2001, S. 521; Jendreiek 1969, S. 326), weshalb sie versucht, das Kind vor dem Bauernhaus auszusetzen. Erst als sie es erneut vor dem Zugriff der Panzerreiter retten muss, gibt sie endgütig auf, sich wieder von ihm zu trennen (vgl. Mews 2001, S. 522). Folglich ›adoptiert‹ sie Michel mit der symbolischen Taufe am Gletscherbach (ebd.).

Die Mutterschaft ist demnach nicht in einem biologischen Instinkt, sondern in der gemeinsamen Geschichte von Grusche und Michel verankert, d. h. sozial bestimmt. Das zeigt sich auch daran, dass sich Grusches Gebundenheit an das Kind im Handlungsverlauf stetig verstärkt. Die Magd »verwandelt sich langsam, unter Opfern und durch Opfer, in eine Mutter für das Kind, und am Ende, nach all den Verlusten, die sie riskiert oder erlitten hat, fürchtet sie als größten Verlust den des Kindes selbst« (GBA 24, S. 346).

Diskutiert wird in der Forschungsliteratur außerdem, inwiefern sich in Grusches Verhalten »die Wirklichkeitsverhältnisse« spiegeln, »in denen das Gute zur existentiellen Gefährdung des Guten wird« (Jendreiek 1969, S. 320). Schon der Sänger hält fest, dass man zur Güte ›verführt‹ werden muss und das ›schreckliche‹ Konsequenzen haben kann. In einer Welt, in der Besitzdenken und die Sicherung der eigenen Position im Mittelpunkt stehen, »wird Menschlichkeit zum schrecklichen Irrtum, der als Verbrechen gewertet wird« (Müller-Michaels 1996, S. 73; vgl. auch Poser 1988, S. 20; Mews 2001, S. 521). Die Herausarbeitung dieser Widersprüche war Brecht bei der Inszenierung 1954 überaus wichtig, wie er in einer Schrift notiert hat, die während der Proben entstand:

> »Je mehr die Grusche das Leben des Kindes fördert, desto mehr bedroht sie ihr eigenes; ihre Produktivität wirkt in der Richtung ihrer eigenen Destruktion. Dies ist so unter den Bedingungen des Krieges, des bestehenden Rechts, ihrer Verein-

samung und Armut. Rechtlich ist die Retterin die Diebin. Ihre Armut gefährdet das Kind und wird durch das Kind größer. Für das Kind bräuchte sie einen Mann, aber sie muß fürchten, einen zu verlieren wegen des Kindes. Usw.« (GBA 24, S. 346). Trotz der großen Opfer, die sie für das Kind erbringt, ist Michel in der Folge ein großer Gewinn für Grusche. Durch die produktiven Erfahrungen mit ihm entwickelt sich die Magd von der Einfältigen, ›der man alles aufladen kann‹, über die Aufopfernde, die das persönliche Glück zugunsten der Notwendigkeiten für das Kind zurückstellt, zur selbstbewussten Mutter, die vor Gericht für ihr Recht kämpft, das Kind zu behalten (vgl. Müller-Michaels 1996, S. 72; Mews 2001, S. 522).

## Der Richter Azdak

Zwei Aspekte stehen bei der Figur des Richters im Mittelpunkt der Forschungsliteratur. Neben der Analyse seiner Rechtssprechung geht es um die Frage, warum Azdaks Geschichte so ausführlich berichtet wird.

Therese Poser sieht in Azdak »die Schlüsselgestalt des Stücks«, ohne die ein Kreidekreisurteil nicht möglich wäre (Poser 1988, S. 23). Gleichzeitig ist es allein einer Verkettung von Zufällen zu verdanken, dass Azdak überhaupt im Amt ist, als es auf seine Art der Rechtssprechung ankommt (vgl. ebd., S. 24). Wie diese konkret aussieht, wird in einigen Rechtsfällen gezeigt, bevor es zum Kreidekreisprozess kommt (vgl. Mews 2001, S. 524). Damit wird im Stück deutlich herausgestellt, dass die Gerechtigkeit, die Grusche widerfährt, nur aufgrund zahlreicher Zufälle entsteht und nicht selbstverständlich ist, denn die ›übliche‹ Rechtssprechung verfolgt andere Ziele.

Analyse von Azdaks Rechtssprechung

Zu diesem Schluss kommen auch jene Interpreten, die Azdaks Methodik, Urteile zu fällen, näher untersuchen. Die Tatsache, dass Azdak Gerechtigkeit herstellt, indem er das geltende Recht bricht, wird dabei häufig hervorgehoben (vgl. z. B. Jendreiek 1969, S. 331). Azdaks Missachtung des Gesetzbuchs – er benutzt es lediglich, um darauf zu sitzen – »ist Ausdruck seiner Erkenntnis, daß das herrschende Recht ein Mittel der Herrschenden zur Erhaltung ihrer Herrschaft ist« (ebd., S. 336). Das zeigt sich bereits in der Probe, durch die Azdak von den Panzerreitern zum Richter gemacht wird; sie wird »zur Demonstration der herrschenden Prozeßpraxis, die das Recht nicht einsetzt im Interesse der Rechtsfindung, sondern zur Verfestigung der bestehenden Herrschaftsverhältnisse« (ebd., S. 334). Deshalb beugt sich Azdak keinen »imperativen Regeln, wie man in einem speziellen Fall zu urteilen hat. Er sabotiert vielmehr jede Art standardisierter Norm« (Hamm 1999, S. 121).

Harro Müller-Michaels betont außerdem, dass Azdak bei seinen Verhandlungen immer die »Unproduktiven« verurteilt, »die sich auf Besitz und auf ererbtes Recht statt auf Arbeit und Mühe berufen« (Müller-Michaels 1996, S. 76), was im Kreidekreisurteil von besonderer Bedeutung ist.

## Die Probe mit dem Kreidekreis

Auch die Kreidekreisprobe wurde in der Forschung eingehender untersucht. Geprüft wurden dabei besonders die Argumente der beiden ›Mütter‹, die den Richter Azdak jeweils von ihrem Anspruch auf das Kind überzeugen wollen, sowie dessen Urteil und wie es zustande kommt.

Die Anwälte der Gouverneursfrau begründen den Anspruch ihrer Klientin ausschließlich biologisch: Sie hat das Kind geboren, also ist sie die Mutter. Damit konstatieren sie, dass sie »das Kriterium für Mütterlichkeit indirekt als ein biologisches auffassen« (Hamm 1999, S. 109). Darüber hinaus hebt Jendreiek hervor, wie egozentrisch die Gouverneursfrau argumentiert, sie »meldet ihr eigenes Bedürfnis an und stellt einen vorgegebenen seelischen Einsatz in Rechnung, um ihren Anspruch zu erhärten« (Jendreiek 1969, S. 348).

Grusche dagegen entwickelt ihre Argumente aus der Perspektive des Kindes heraus. Das Wohl Michels steht bei ihr im Mittelpunkt (ebd.). Sie zählt ausführlich auf, wie sie ihn bislang erzogen hat und welche Opfer sie für ihn aufzunehmen bereit war (ebd.). Als Mutter weist sie aus, dass sie dem Kind nützlich war und weiterhin sein will (Poser 1988, S. 33; vgl. auch Müller-Michaels 1996, S. 78; Mews 2001, S. 522).

Azdak hat bei der Verhandlung eine schwierige Entscheidung zu treffen, denn genau betrachtet stehen zwei Mütter vor ihm: eine, die das Kind geboren hat, und eine, die dem Kind unter Aufopferung eigener Bedürfnisse eine Mutter war. Wie Christine Hamm ausführt, ist der Richter deshalb gezwungen, den Mutter-Begriff zu hinterfragen (Hamm 1999, S. 110). Die Kreidekreisprobe hat dabei die Funktion eines Sprachspiels: »Azdak will uns daran erinnern, wie wir das Wort ›Mutter‹ tatsächlich in unserer Sprache verwenden« (ebd., S. 112).

Untersuchung des Mutter-Begriffs

In den früheren Bearbeitungen des Stoffs ist es immer die biologische Mutter, die dem Kind die größere Liebe entgegenbringt (vgl. Jendreiek 1969, S. 345; Poser 1988, S. 30; Hahnengreß 1989, S. 12). Die mütterliche Fürsorglichkeit wird als »eine natürlich-selbstverständliche Folge der leiblichen Bindung verstanden« (Jendreiek 1969, S. 345). Azdak kehrt diese Sichtweise um: Aus der Fürsorglichkeit für das Kind leitet sich die Mutterschaft ab. Sie ist »nicht biologisch, sondern sozial« begründet (ebd., S. 356), Grusche hat sich den Anspruch auf das Kind erarbeitet (vgl. Müller-Michaels 1996, S. 78).

Kreidekreis-probe als Instrument der Entschei-dungsfindung

Ob Azdak die Kreidekreisprobe tatsächlich als Instrument der Entscheidungsfindung benötigt, wird von der Forschungsliteratur unterschiedlich beantwortet. Während Jendreiek »Sinn und Aufgabe« der Probe in der »Ermittlung der Mutter des Kindes sieht« (Jendreiek 1969, S. 345), ist Müller-Michaels der Ansicht, dass Azdak »von Anfang an weiß, wie sein Urteil ausfallen wird« (Müller-Michaels 1996, S. 77). Er setze die Probe aber ein, »weil die Rechtsprechung eines Verfahrens bedarf, das die Entscheidung, so willkürlich sie sein mag, überprüfbar macht« (ebd., S. 78).

Darüber hinaus ist die Kreidekreisprobe eine »im höchsten Grad demonstrative Geste« (Hamm 1999, S. 120). Sie verweist darauf, dass Azdaks Urteilsspruch »sich an der Produktivität als ökonomischer, juristischer, menschlicher und erzieherischer Kategorie orientiert« (Müller-Michaels 1996, S. 78).

# Literaturhinweise

Die Verweise auf Brechts Texte beziehen sich auf folgende Ausgabe:

Brecht, Bertolt, Werke. Große kommentierte Berliner und Frankfurter Ausgabe, hg. v. Werner Hecht, Jan Knopf, Werner Mittenzwei und Klaus-Detlef Müller, Berlin und Weimar/Frankfurt/M. 1988–2000 [zit. als: GBA mit Bandnummer und Seitenzahlen].

## A. Textausgaben (Auswahl)

Der kaukasische Kreidekreis, in: Sinn und Form. Sonderheft Bertolt Brecht, Berlin 1949, S. 52–164.
Der kaukasische Kreidekreis, in: Versuche, Heft 13 (Versuche 31), Berlin 1954, S. 5–95.
Der kaukasische Kreidekreis, in: Brecht, Bertolt, Stücke X, Frankfurt/M. 1957, S. 133–301.
Der kaukasische Kreidekreis, in: Brecht, Bertolt, Gesammelte Werke in 20 Bänden, Bd. 5, Frankfurt/M. 1967, S. 1999–2105 (Werkausgabe edition suhrkamp).
Der kaukasische Kreidekreis. Frankfurt/M. 1963 (edition suhrkamp 31).
Der kaukasische Kreidekreis [Fassung 1949], in: GBA 8, S. 7–92.
Der kaukasische Kreidekreis [Fassung 1954], in: GBA 8, S. 93–185.

## B. Materialien

Duchardt, Michael, Bertolt Brecht. Der kaukasische Kreidekreis, Stuttgart 1998.
Hecht, Werner (Hg.), Brechts ›Kaukasischer Kreidekreis‹, Frankfurt/M. 1985 [zit. als: Hecht 1985a].
Hecht, Werner (Hg.), Brechts Theaterarbeit. Seine Inszenierung des »Kaukasischen Kreidekreises« 1954, Frankfurt/M. 1985 [zit. als: Hecht 1985b].

## C. Interpretationen und Forschungsliteratur zu Der kaukasische Kreidekreis

Berg-Pan, Renata, Mixing Old and New Wisdom: The »Chinese« Sources of Brecht's Kaukasischer Kreidekreis and Other Works, in: The German Quarterly 48 (1975), S. 204–228.
Brough, Neil/ Kavanagh, R. J., But Who Is Azdak? The Main Source of Brecht's Der Kaukasische Kreidekreis, in: Neophilologus 75 (1991), S. 573–580.

Buck, Theo, Der Garten des Azdak: Von der Ästhetik gesellschaftlicher Produktivität im »Kaukasischen Kreidekreis«, in: Brechts Dramen. Neue Interpretationen, hg. v. Walter Hinderer, Stuttgart 1984, S. 194–216.

Bunge, Hans, Der Streit um das Tal, in: Hecht 1985a, S. 147–154 [zit. als: Bunge 1985a].

Eaton, Katherine B., Die Pionierin und Feld-Herren vorm Kreidekreis. Bemerkungen zu Brecht und Tretjakow, in: Brecht-Jahrbuch 1979, S. 19–29.

Hahnengreß, Karl-Heinz, Bert Brecht. »Der kaukasische Kreidekreis«. Eine Einführung in das epische Theater, Stuttgart 1989.

Hamm, Christine, Über Kriterien in Werturteilen und Textinterpretationen. Bertolt Brechts *Der kaukasische Kreidekreis* und *Ordinary language philosophy*, in: Amsterdamer Beiträge zur neueren Germanistik 46 (1999), S. 99–134.

Jendreiek, Helmut, Bertolt Brecht. Drama der Veränderung, Düsseldorf 1969.

Leiser, Peter, Brecht. Mutter Courage und ihre Kinder. Der kaukasische Kreidekreis. 4. veränd. Aufl., Hollfeld/Ofr. 1982.

Lyon, James K., Broadway und »Der kaukasische Kreidekreis«, in: Hecht 1985a, S. 117–126.

Mathieu, G. Bording, Zur Deutung der vorletzten Zeile in Brechts Kreidekreis, in: Monatshefte für deutschen Unterricht, deutsche Sprache und Literatur 63 (1971), S. 235–241.

Mews, Siegfried, Bertolt Brecht: Der kaukasische Kreidekreis, Frankfurt/M./Berlin/München 1980.

Mews, Siegfried, Der kaukasische Kreidekreis, in: Brecht Handbuch in fünf Bänden, hg. v. Jan Knopf. Band 1: Stücke, Stuttgart/Weimar 2001, S. 512–531.

Michelsen, Peter, »Und das Tal den Bewässerern ...«. Über das Vorspiel zum Kaukasischen Kreidekreis, in: Drama und Theater im 20. Jahrhundert. Festschrift für Walter Hinck, hg. v. Hans Dietrich Irmscher und Werner Keller, Göttingen 1983, S. 190–203.

Müller-Michaels, Harro, Bertolt Brecht: Der kaukasische Kreidekreis, in: Deutsche Dramen. Interpretationen zu Werken von der Aufklärung bis zur Gegenwart, hg. v. Harro Müller-Michaels, Bd. 2, 3. verbess. u. erg. Aufl., Weinheim 1996, S. 66–82.

Nussbaum, Laureen: Brecht's Revised Version of Genesis 1 and 2: A Subtext of the *Caucasian Chalk Circle*, in: Communications from the International Brecht Society 22 (1993), H. 1, S. 41–50.

Poser, Therese, Bertolt Brecht. Der kaukasische Kreidekreis, 4. überarb. u. erg. Aufl., München 1988.

Spaethling, Robert, Zum Verständnis der Grusche in Brechts ›Der Kaukasische Kreidekreis‹, in: Die Unterrichtspraxis 4 (1971), S. 74–81.

Weber, Betty Nance, Brechts ›Kreidekreis‹, ein Revolutionsstück. Eine Interpretation, Frankfurt/M. 1978.

## D. Andere Literatur zu Brecht

Bunge, Hans, Brechts Lai-Tu. Erinnerungen und Notate von Ruth Berlau, Darmstadt 1985 [zit. als: Bunge 1985b].

Fenn, Bernard, Characterisation of Women in the Plays of Bertolt Brecht, Frankfurt/M. 1982.

Giese, Peter Christian, Das »Gesellschaftlich-Komische«. Zu Komik und Komödie am Beispiel der Stücke und Bearbeitungen Brechts, Stuttgart 1974.

Hecht, Werner, Brecht Chronik 1898–1956, Frankfurt/M. 1997 [zit. als: Hecht 1997a].

Hecht, Werner (Hg.), »alles was Brecht ist ...«. Fakten – Kommentare – Meinungen – Bilder, Frankfurt/M. 1997 [zit. als: Hecht 1997b].

Knopf, Jan (Hg.), Brecht Handbuch in fünf Bänden. Stuttgart/Weimar 2001–2003.

Sauer, Michael, Brecht in der Schule: Beiträge zu einer Rezeptionsgeschichte Brechts (1949–1980), Stuttgart 1984.

# Wort- und Sacherläuterungen

8.10 **Personen**: Betty Nance Weber, die den *Kaukasischen Kreide-kreis* als eine Darstellung der Ereignisse der russ. Revolutions-geschichte auffasst (vgl. Weber 1978, S. 32), hat die Namen der Figuren, insbesondere derer aus dem Vorspiel, näher aufzu-schlüsseln versucht (vgl. ebd., S. 53–56). Viele der vermeintli-chen Bezüge sind nur Namensähnlichkeiten, die für das Ver-ständnis des Stücks keine Hinweise bieten. Im Folgenden wer-den Namen nur erläutert, wenn sie über die Ähnlichkeit oder eine mögliche Anregung hinaus einen inhaltlichen Bezug zum Text haben.

9.1 **Vorspiel**: Parallelen zwischen dem Vorspiel und Sergej Tretja-kows (1892–1939) dramatischen und dokumentarischen Arbei-ten zeigt Katherine B. Eaton auf (Eaton 1979, S. 19–29).

9.2–3 *eines zerschossenen kaukasischen Dorfes*: Kaukasien bezeich-net die Landbrücke zwischen Schwarzem und Kaspischem Meer in Russland, Georgien, Armenien und Aserbaidschan. Im Zwei-ten Weltkrieg gehörte der Nordkaukasus und Stalingrad zu den ersten Gebieten, die die Rote Armee von der dt. Wehrmacht zu-rückerobern konnte.

9.4 *Kolchosdörfer*: (russ.) Geht zurück auf das Kurzwort aus *kol*-lektiwnoje *chos*jaistwo (Kollektivwirtschaft). Eine Kolchose ist ein genossenschaftlich organisierter landwirtschaftlicher Be-trieb in der Sowjetunion. Die ersten Kolchosen entstanden nach 1917 durch freiwilligen Zusammenschluss von Bauern, die sich selbst verwalten durften. Zwischen 1928 und 1937 wurde die Vereinigung zu Kolchosen (»Kollektivierung«) durch staatli-chen Druck betrieben.

9.17 **Nukha**: Eigentlich Nuka oder Nucha. Bis 1968 Name der aser-baid. Stadt Scheki.

9.17–18 **»Galinsk«**: Wahrscheinlich eine Erfindung Brechts. Die Wort-endung -insk ist bei russ. Ortnamen üblich.

9.24 **»Rosa Luxemburg«**: In Polen geborene Politikerin jüd. Her-kunft (1871–1919). Luxemburg schloss sich bereits als Schüle-rin der Arbeiterbewegung an und war 1893 Mitbegründerin der Sozialdemokratischen Arbeiterpartei Polens und Litauens. 1899 siedelte sie nach Berlin über und entwickelte sich zur führenden Theoretikerin des linken Flügels. Mit Karl Liebknecht (1871–1919) gründete sie 1917 den Spartakusbund und war 1918 Mitbegründerin der KPD. Beim Spartakusaufstand in Berlin (Januar 1919) wurde sie von Freikorpsoffizieren erschossen. In den 1950er-Jahren plante Brecht ein Stück über sie (vgl. GBA 10, S. 980–983).

**hast du selber dir nicht gehört**: Die Leibeigenschaft wurde in Russland 1861 aufgehoben, in Georgien etwa ein Jahrzehnt später.   11.16–17

**Partisanen**: (lat.-ital.-franz.) Wörtlich »Parteigänger«. Widerstandskämpfer, der nicht als regulärer Soldat, sondern als Angehöriger bewaffneter, aus dem Hinterhalt operierender Gruppen gegen den in sein Land eingedrungenen Feind kämpft.   12.16

**der Dichter Majakowski**: Wladimir Wladimirowitsch Majakowski (1893–1930) war ein russ. Dichter georg. Abstammung. Er war Anhänger Lenins (1870–1924) und der Oktoberrevolution, schrieb aber auch Satiren und utopische Komödien über Sowjetbürokratie und Spießertum. Starb durch Selbstmord. Brecht widmete ihm das Gedicht *Epitaph für Majakowski* (GBA 15, S. 178).   13.9

**Tiflis**: Offiziell Tbilissi. Seit 1991 Hauptstadt Georgiens (Grusiniens). Wechselvolle Geschichte, u. a. unter georg., arab., pers. und russ. Herrschaft.   15.31

**Krösus**: (lat. Croesus) Um 595 v.Chr. geboren, letzter lyd. König (seit etwa 560). Nach der Eroberung fast ganz West-Kleinasiens so unermesslich wohlhabend, dass sein Reichtum sprichwörtlich wurde. Vom Perserkönig Kyros II. († 529 v.Chr.) im Jahr 546 v.Chr. gefangengenommen und vermutlich im selben Jahr verstorben.   16.12

**Grusinien**: Russ. Name für Georgien. Brecht benutzt ihn erstmals in der Fassung 1954, davor verwendet er immer »Georgien«.   16.15

**im Persischen Krieg**: Georgien wurde im Lauf seiner Geschichte häufig umkämpft. Vom Ende des 15. Jh.s bis zum 18. Jh. herrschten in Georgien u. a. die Perser; der hier erwähnte Krieg lässt sich aber nicht genau zuordnen.   16.30–31

**strategischer Rückzug**: Ausdruck der Nazipropaganda, um militärische Niederlagen zu verschleiern.   18.11

19.9 **Adjutant**: (lat.-span.) Wörtlich »Helfer«, »Gehilfe«. Seit dem späten 16. Jh. den Kommandeuren militärischer Einheiten beigegebener Offizier.

20.15 **Linnen**: Dichterisch für Leinen(gewebe). Brecht verwendet das Motiv des ›Linnenwaschens‹ häufiger, so 1921 in *Lied der verderbten Unschuld beim Wäschefalten* (GBA 13, S. 233–235) oder 1930 in *Lied vom Fluß der Dinge* (GBA 14, S. 64 f.).

22.17 **Exzellenz**: (lat.-franz.) Wörtlich »Vortrefflichkeit«, »Erhabenheit«. Titel von Ministern und hohen Beamten.

23.2 **Garnison**: (germ.-franz.) Standort militärischer Verbände. Bezeichnet auch die Gesamtheit der Truppen eines gemeinsamen Standorts.

23.27 **O Wechsel der Zeiten!**: Typisches Motiv bei Brecht. Die Vorstellung, dass nichts ewig Bestand hat, sondern dem ›Wechsel der Zeiten‹ unterworfen ist, wird mit politischer Stoßrichtung auch in den Gedichten *Es wechseln die Zeiten* (GBA 15, S. 92) und *Die Ballade vom Wasserrad* (GBA 14, S. 207) verwendet.

24.3 **Ostermette**: Mette (lat.-roman.) bezeichnet einen Nacht- oder Frühgottesdienst an einem hohen Feiertag.

26.30–31 **»Eile heißt [...] Baugerüst umweht«**: Diesen Satz verwendet Brecht ähnlich in *Der gute Mensch von Sezuan* (GBA 6, S. 222).

26.33 **Kutsk**: Brecht hat den Namen des Orts wahrscheinlich erfunden. Die ähnlich klingenden Städte Irkutsk und Jakutsk liegen in Süd- bzw. Nordost-Sibirien.

27.1 **Zahlmeister**: Von Mitte des 19. Jh.s bis 1945 Militärbeamter in Offiziersrang, der für das Zahlungs- und Rechnungswesen der Truppe verantwortlich ist.

27.20–33 **Geh du ruhig [...] ist wie einst.**: Diese Verse sind angeregt durch das Soldatenlied *Shdi menja* (dt. *Wart auf mich*; 1941) des russ. Dichters Konstantin Simonow (1915–1979). Brecht schnitt die engl. Übersetzung des Gedichts aus der Zeitung *Moscow News* aus und klebte es in sein *Journal* (GBA 27, S. 141).

31.9–10 **müssen sterben in Sünden**: Nach kath. Glauben werden dem Sterbenden seine Sünden nach der letzten Beichte und Kommunion vergeben. Der Gouverneur hat diese nicht erhalten.

32.6 **Aussatz**: Lepra. Schwere bakterielle Infektionskrankheit des Menschen, bei der v. a. die Haut und/oder das Nervensystem befallen wird, was zu Verunstaltungen des Körpers führt. Verläuft häufig tödlich.

**Angelus:** Angelusläuten. Glockenzeichen für das Angelusgebet, das nach kath. Ritus morgens, mittags und abends gesprochen wird. Hier ist das abendliche Läuten gemeint, das den Weinpflückern das Ende des Arbeitstages ankündigt. 33.24

**Schrecklich ist die Verführung zur Güte!:** Die Vorstellung, dass die Gesellschaft dem Menschen nicht erlaubt, gut zu anderen zu sein, ohne sich selbst zu schädigen, verarbeitet Brecht auch in anderen Theaterstücken, z. B. in *Die Dreigroschenoper* (GBA 2) oder *Der gute Mensch von Sezuan* (GBA 6). 34.6

**Zu lange saß sie [...] Und es wegtrug.:** Eine ähnliche Szene findet sich in dem Film *The Kid* (1921) von Charlie Chaplin (1889–1977). Es ist wahrscheinlich, dass Brecht den Film gekannt hat. 34.14–20

**Auf der grusinischen Heerstraße:** Seit 1799 bestehende, über 200 km lange Passstraße über den Großen Kaukasus, zwischen Tiflis und Wladikawkas. 1985 ersetzt durch die Transkaukasische Automagistrale. 34.28

**Sosso:** Russ. Kurzform für Josef. Könnte eine Anspielung auf den sowjet. Diktator Josef Stalin (1879–1953) sein, der in seiner Kindheit und während seiner Zeit in Georgien Sosso genannt wurde. 35.17

*Karawanserei:* Unterkunft für Karawanen, d. h. durch unbewohnte Gebiete (Asiens oder Afrikas) ziehende Gruppen von Reisenden, Kaufleuten oder Forschern. Gemeint ist eine Art Gasthaus. 37.5

**Janga-Tau:** Dschangi-Tau ist ein über 5 000 m hoher Berg im Kaukasus. 38.3–4

**Zeigen Sie ihre Hände!:** Das Vorzeigen der Hände wurde während der russ. Revolution praktiziert, um Proletarier von Nichtproletariern zu unterscheiden. 40.19

**wie die klingende Schelle:** Anspielung auf die Bibelstelle: »Wenn ich mit Menschen- und mit Engelszungen redete und hätte der Liebe nicht, so wäre ich ein tönend Erz oder eine klingende Schelle« (1. Korinther 13,1). 42.33–34

**Zieh ins Feld [...] dem Felde wiederkehre.:** Nach einem slowak. Volkslied, das Brecht über die Veröffentlichung durch Béla Bartók (1881–1945) kannte (*Slowakische Volkslieder*, aufgezeichnet und systematisiert von Béla Bartók, Bd. 1, Bratislava 1959, S. 623). 43.9–12

43.15–18 **Wenn ich [...] mich oft umfangen.**: Nach einem slowak. Volkslied, das Brecht über die Veröffentlichung durch Béla Bartók
kannte (*Slowakische Volkslieder*, aufgezeichnet und systematisiert von Béla Bartók, Bd. 1, Bratislava 1959, S. 646).

43.28 **Gouverneursbankert**: Bankert meint abwertend ein unehelich
geborenes Kind. Michel ist das nicht im wörtlichen Sinne; es ist
als Beleidigung gedacht.

52.21 **Mitgegangen, mitgehangen**: Nach dem Sprichwort: »Mitgegangen, mitgefangen, mitgehangen.« Es bedeutet: Wer an etwas
beteiligt war, der muss dafür auch die Folgen tragen.

55.27 **Scharlach**: Ansteckende Infektionskrankheit, die v. a. im Kin-
desalter auftritt, aber auch bei Erwachsenen vorkommen kann.

57.10 *Geschirrkammer*: Geschirr meint hier das Riemen- und Leder-
zeug zum Anspannen der Zugtiere (z. B. Pferde).

57.14–28 **Da machte der Liebe [...] kommen nach Haus.**: Quelle dieser
Verse ist das *Estnische Kriegslied* (1915) von Hella Wuolijoki
(vgl. *Sōja laul. Das Estnische Kriegslied*, hg. v. Hans Peter Neu-
reuter, Ruth Mirov und Ülo Tedre, Stuttgart 1984, V. 128–143).

59.34 **Ein Stempel macht alles aus.**: Brecht verwendet einen ähnlichen
Gedanken in den *Flüchtlingsgesprächen*: »Der Paß ist der edelste
Teil von einem Menschen. Er kommt auch nicht auf so einfache
Weise zustand wie ein Mensch. [...] Dafür wird er auch aner-
kannt, wenn er gut ist, während ein Mensch noch so gut sein
kann und doch nicht anerkannt wird« (vgl. GBA 18, S. 197).

60.18 **Der Bräutigam lag auf den Tod**: Die Hochzeitsszene erinnert an
eine Szene aus dem Marx-Brothers-Film *A Night at the Opera*
(vgl. Giese 1974, S. 79; zum Motiv des Sich-tot-Stellens vgl.
ebd.).

61.1 **Jussup**: Russ. und georg. Form von Josef. Manche Interpreten
sehen deshalb in Grusche, Jussup und Michel eine Anspielung
auf die biblische Familie Maria, Josef und Jesus. Auch der biblische Josef nimmt ein Kind an, das nicht seines ist (vgl. dazu
etwa Nussbaum 1993, S. 43).

62.15 *lateinisch*: Latein ist in der Liturgie der röm.-kath. Kirche üblich, nicht in der griech.-orthod., zu der Georgien gehört.

62.34 **mit der Letzten Ölung**: Sterbesakrament; in der kath. Liturgie
die Krankheitssalbung, mit der Kranke und Sterbende versehen
werden. Die Salbung mit geweihtem Öl bewirkt nach christl.
Vorstellung die Vergebung begangener Sünden.

**damit das Fleisch zu Staube werde:** Christl. Bestattungsformel 64.27–28
nach dem AT; »es ist alles von Staub gemacht und wird wieder zu
Staub« (Prediger 3,20).

**Oh, der Perserschah [...] Feind der Unordnung.:** Diesen Gedan- 66.8–12
ken verwendet Brecht auch in dem Gedicht *Die Ballade vom
Wasserrad* (GBA 14, S. 207): »Und sie schlagen sich die Köpfe /
Blutig, raufend um die Beute. / Nennen einander gierige Tröpfe /
Und sich selber gute Leute. / Unaufhörlich sehen wir sie einander
grollen / Und bekämpfen. Einzig und alleinig / Wenn wir sie nicht
mehr ernähren wollen / Sind sie sich auf einmal völlig einig.«

**Kalender:** Gedruckter Jahreskalender mit Erzählungen, Rezep- 69.32
ten, Anweisungen usw. Kalender galten lange als Lektüre für das
›einfache‹ Volk.

**Soviel Worte werden [...] Steinen, im Wasser.:** Quelle dieser 73.17–35
Verse ist das *Estnische Kriegslied* (1915) von Hella Wuolijoki
(vgl. *Sõja laul. Das Estnische Kriegslied*, hg. v. Hans Peter Neu-
reuter, Ruth Mirov und Ülo Tedre, Stuttgart 1984, V. 274 f., V.
280–286, V. 796–799).

**Azdak:** Es erscheint naheliegend, dass der Name angeregt ist 75.17
von Mazdak, einem religiösen Anführer in Persien, der bereits zu
seiner Zeit (~ 476) Gedanken verbreitete, die kommunistischen
Ideen ähnelten (Bruderliebe, gerechte Verteilung des Eigentums
etc.). Vgl. dazu genauer Brough/Kavanagh 1991, S. 574–576.

**Zeig einmal deine Hand her!:** Vgl. Erl. zu 40,19. 76.19–20

**Ein Mensch ist nach Gottes Ebenbild gemacht:** Nach dem bib- 78.4–5
lischen Schöpfungsbericht schuf Gott den Menschen nach seinem Bilde (1. Mose 1,27).

**Sichel:** Handgerät zum Schneiden von Gras oder Getreide. Be- 78.24
steht aus einem kurzen Holzstiel und einer halbmondförmigen
Stahlklinge. Hammer und Sichel waren das kommunistische
Symbol des sozialistischen Aufbaus.

**nur weil er ein Türk war:** Könnte eine Anspielung auf die Ju- 78.34
denverfolgung während der Naziherrschaft sein.

**wie der Pontius ins Credo:** Pontius Pilatus († 39), röm. Proku- 79.1
rator von Judäa zur Zeit der Hinrichtung Jesu Christi. Er fand
deshalb Eingang in das christl. Glaubensbekenntnis (Credo),
ohne inhaltlich damit zu tun zu haben. Im übertragenen Sinn:
zufällig in eine Sache hinein geraten.

79.32 **neue Zeit**: Häufiges Motiv bei Brecht; vgl. *Leben des Galilei* (GBA 5, S. 10) oder *Kleines Organon für das Theater* (GBA 23, S. 70–72).

80.21 **Profos**: (lat.-niederl.) Auch Profoß; im 16. und 17. Jh. im dt. Heerwesen Bezeichnung für Regimentsscharfrichter. Hier: militärischer Angestellter.

81.8 **Teppichweber**: Wie Persien ist auch der Kaukasus ein Zentrum der Teppichherstellung. Bei Brecht stehen Teppichweber für Revolutionäre; vgl. das Gedicht *Die Teppichweber von Kujan-Bulak* (GBA 11, S. 181 f.).

86.1–2 **Haarspalter**: Jemand, der zu Haarspalterei neigt, d. h. um unwesentliche Kleinigkeiten streitet oder nach übertrieben genauen Erklärungen strebt.

86.8–9 **wir machen eine Probe**: Auch hier wird schon, wie später beim Kreidekreis, die Entscheidung über eine Probe gefällt, die Azdak vorschlägt.

89.19–20 **Schaut, was für ein Richter!**: Vgl. Johannesevangelium, in dem Pontius Pilatus über Jesus sagt: »Sehet, welch ein Mensch!« (Johannes 19,5)

90.4 **Standarte**: (franz.) Im Mittelalter fahnenartiges Feldzeichen des Heeres; bis ins 20. Jh. kleine Fahne berittener Truppen.

91.20 **daß Irren menschlich ist**: Nach der lat. Redensart »errare humanum est« (»Irren ist menschlich«), die auf Seneca (55 v.Chr.–40 n.Chr.) zurückgeht.

92.6 **Franzbranntwein**: Eigentlich »Französischer Branntwein«. Alkoholische Lösung zum Einreiben oder für Umschläge.

92.17 **eine Katze im Sack**: Von der Redensart »Die Katze im Sack kaufen«, d. h. etwas ungeprüft kaufen oder übernehmen.

92.28–30 **Der Wind bläst [...] sie drunter hat.**: In *Leben des Galilei* hat Brecht das Motiv ähnlich verwendet: »Dadurch ist eine Zugluft entstanden, welche sogar den Fürsten und Prälaten die goldgestickten Röcke lüftet, so daß fette und dürre Beine darunter sichtbar werden, Beine wie unsere Beine« (GBA 5, S. 10).

95.4 **dem lieben Nächsten**: Anspielung auf 3. Mose 19,18: »Du sollst deinen Nächsten lieben wie dich selbst«.

96.1 **Irakli**: Georg. Name des Helden Herakles (auch: Herkules) aus der griech. Mythologie. Er war als Halbgott für seine Stärke bekannt und wurde deshalb von den Menschen als Helfer angerufen.

**Eremit:** (griech.-lat.) Aus religiösen Gründen von der Welt ab- 96.12
geschieden lebender Mensch. Die Bezeichnung »wandernder
Eremit« ist widersprüchlich.

**die Schmerzhafte:** Anspielung auf die ›mater dolorosa‹ 97.18–19
(Schmerzensmutter), d. h. (in der bildenden Kunst) die Darstellung der trauernden Gottesmutter Maria.

**Mütterchen, wolle uns Verdammte gnädig beurteilen!:** Spielt 97.24
auf den kath. Marienkult an, bei dem Maria als Fürbitterin der
Sünder gesehen wird.

**brach er die Gesetze wie ein Brot:** Anspielung auf das letzte 97.34
Abendmahl Jesu mit seinen Jüngern, bei dem Jesus das Brot
bricht und es seinen Jüngern reicht (Matthäus 26,26).

**Waage:** In der bildenden Kunst und Emblematik hält die Göttin 98.6
der Gerechtigkeit eine Waage in der Hand.

**Kandare:** Eigentlich Gebissstange des Pferdes. ›An die Kandare 98.25
nehmen‹ bedeutet ›jemanden streng behandeln‹.

**Schwester, verhülle dein [...] bitte, schaff Ordnung!:** Für diese 99.10–100.8
Verse bearbeitete Brecht die altägypt. Gedichtreihe *Mahnworte
eines Propheten*. Brecht kannte sie in der Übersetzung von Adolf
Ermann (1854–1937; vgl. *Die Literatur der Ägypter. Gedichte,
Erzählungen und Lehrbücher aus dem 3. und 2. Jahrtausend v.
Chr.*, Leipzig 1923, S. 130–147).

**Rosenkranz:** Kath. Gebetsschnur mit sechs größeren und 53 102.10
kleineren Perlen, an deren Ende ein Kreuz hängt. Anhand der
Perlen werden die Gebete abgezählt.

**als ein Huhn Zähne im Mund hat:** Von der engl. Redensart 103.19–20
»scarce as hen's teeth« (dt.: »selten wie die Zähne eines Huh-
nes«). Bedeutet Unwahrscheinlichkeit, Unmöglichkeit.

***Ein staubbedeckter Reiter:*** In *Die Dreigroschenoper* wird Ma- 105.27
cheath ebenfalls durch einen reitenden Boten vor dem Galgen
gerettet (vgl. GBA 2, S. 307).

**Blut, heißt es [...] dicker als Wasser.:** Seit Mitte des 19. Jh.s 107.10–11
nachweisbare Redewendung. Bedeutet, dass verwandtschaftli-
che Bindungen stärker sind als die aller anderen Beziehungsfor-
men. Kaiser Wilhelm II. (1859–1941) berief sich mit der Wendung seit 1896 wiederholt auf die Verwandtschaft der Throne in
Deutschland und Großbritannien, diese sei stärker als das die
beiden Länder trennende Meer. Die Redewendung ist auch im
Engl. gebräuchlich.

111.14–15 **»Ein schöner Tag [...] Angler zum Wurm.«**: Brecht verwendet eine ähnliche Formulierung in *Mutter Courage und ihre Kinder*: »Komm, geh mit angeln, sagte der Fischer zum Wurm« (GBA 6, S. 14).

112.30–31 **Wucherer**: Jemand, der die Zwangslage, die Unerfahrenheit, den Mangel an Urteilsvermögen oder die Willensschwäche bei einem anderen zu seinem geschäftlichen Vorteil ausnutzt.

113.10 **Riechfläschchen**: Fläschchen mit Riechsalz. Die darin enthaltenen ätherischen Öle wirken belebend und sollen einer Ohnmacht entgegenwirken.

114.7–8 **Denn es macht [...] und böse sein.**: Die Anstrengung, der es bedarf, um böse zu sein, verarbeitet Brecht als Motiv auch in dem Gedicht *Die Maske des Bösen* (GBA 12, S. 124) und in dem Theaterstück *Der gute Mensch von Sezuan* (GBA 6, S. 247).

116.8 **»Der Garten des Azdak«**: Möglicherweise eine Anspielung auf den biblischen Garten Eden, das Paradies.

116.14 **Ich mach keinem den Helden.**: Mit einem ähnlichen Gedanken entzieht sich Andreas Kragler in Brechts Stück *Trommeln in der Nacht* der Novemberrevolution: »Mein Fleisch soll im Rinnstein verwesen, daß eure Idee in den Himmel kommt? Seid ihr besoffen?« (GBA 1, S. 228). Vgl. auch *Leben des Galilei*: »Unglücklich das Land, das Helden nötig hat« (GBA 5, S. 93).

117.10–11 **und ward nicht mehr gesehen**: Wörtliche Übernahme des letzten Verses aus der Goethe-Ballade *Der Fischer* (vgl. *Goethes Werke*. Hamburger Ausgabe in 14 Bänden, Bd. 1, Hamburg 1966, S. 154).

117.15 **Goldenen Zeit**: Bezeichnung für eine angeblich ideale Vorzeit; nachweisbar in altind. und antiken Quellen (z. B. Hesiod, Vergil).

117.24 **Die Wagen [...] gut gefahren wird**: Dieser Vers kann in Beziehung gesetzt werden zu zwei Keuner-Geschichten, in denen Brecht Gedanken über das Autofahren formuliert (vgl. *Herr Keuner fährt Auto*; GBA 18, S. 39, und besonders *Keuner, befragt über die Arbeitsweise*; GBA 18, S. 42). Siehe dazu den Aufsatz von Mathieu 1971.

121.3 **des Dreißigjährigen Krieges**: Europ. Religions- und Staatenkonflikt (1618–1648), an dem die dt. Staaten maßgeblich beteiligt waren.

**freien Reichsstadt Augsburg:** Seit dem 13. Jh. (bis 1806) ist 121.5–6
Augsburg freie Reichsstadt, d. h. unmittelbar Kaiser und Reich
unterstellt.

**Häusler:** Armer Bauer, der ein Haus und ein wenig Land be-  124.35
sitzt, davon aber nicht leben kann und auf einen Nebenerwerb
angewiesen ist.

**Spinnrocken:** Teil des Spinnrades, das zum Spinnen von Fäden 126.18
verwendet wurde. Die zu verspinnenden Textilfasern wurden
auf einem senkrechten Stab (den Rocken) befestigt und zur
waagrechten Spindel zugeführt und verdrillt.

**Sonnthofen:** Die Siedlung Sonnthofen im Oberallgäu wird 839 127.14
erstmals erwähnt.

**Schmalhans Küchenmeister:** Bedeutet ›sparsam leben müssen‹. 128.11–12
Seit dem 17. Jh. ist Schmalhans als Personifizierung des Hungers
belegt (z. B. in Grimmelshausens *Simplicissimus*).

**Ignaz Dollinger:** Betty Nance Weber vermutet, dass Brecht auf 130.29
den Münchner Professor für Kirchengeschichte Johann Joseph
Ignaz von Döllinger (1799–1890) anspielt (Weber 1978, S. 93).
Dieser wurde 1871 aus der kath. Kirche ausgeschlossen, weil er
das Postulat von der Unfehlbarkeit des Papstes kritisierte. Jürgen Hillesheim verweist außerdem darauf, dass sich auf Brechts
Schulweg in Augsburg eine Spenglerei befand, die Leonhard
Dollinger gehörte. Der junge Brecht musste demnach seit 1908
zweimal täglich an einem Schild mit dem Namen Dollinger vor-
beilaufen (vgl. Jürgen Hillesheim, »Mit den Müttern kamen die
Richter«, in: *Augsburger Allgemeine* 9./10.2.2002).

**Kurfürsten von Bayern:** Gemeint ist Kurfürst Maximilian I. 130.31
(1573–1651), der von 1598 bis 1651 in Bayern regierte.

**Rathaus am Perlachturm:** Der um 1060 erbaute, mehrmals er- 131.32
höhte Perlachturm steht an der Nordseite des Augsburger Rat-
hauses.

**Kirchweih:** Volksfest, ursprünglich anlässlich der Weihung ei- 132.5
ner Kirche.

**Blut sei dicker als Wasser:** Vgl. Erl. zu 107,10–11. 134.25

## Bertolt Brecht
## in der Suhrkamp BasisBibliothek

### Leben des Galilei
Kommentar: Dieter Wöhrle
SBB 1. 191 Seiten

»Das hier annotierte gelungene Bändchen ist praktikabel, ohne in eine deutschdidaktische Reduktion zu verfallen. … Das Konzept eines sehr brauchbaren Zurechtfinde-Buches liegt mit der Reihe Suhrkamp BasisBibliothek vor. Sie ist fürs Gymnasium, für die freie Theaterarbeit und Dramaturgie sowie fürs Studium empfehlenswert, da man die Lehrenden und Lernenden ernst nimmt.«
*Dreigroschenheft*

»Der Klassiker gehört in jeden gut sortierten Bücherschrank. … Der Kommentar ist hilfreich, vor allem für Schüler und Studenten, die sich auf eine Arbeit zum Thema vorbereiten. Man findet eine Zeittabelle zum historischen Galilei, eine Zeittabelle zu Brechts Schaffen an diesem Schauspiel, eine knappe Theatergeschichte und eine Interpretation des Stücks. Hilfreich sind die Literaturhinweise und die Sacherläuterungen am Ende des Buches.« *History*

# Bertolt Brecht
## in der Suhrkamp BasisBibliothek

### Mutter Courage und ihre Kinder
Kommentar: Wolfgang Jeske
SBB 11. 185 Seiten

»Brechts meistgelesenes Stück erscheint in dieser prakti-
kablen Studienausgabe mit Zeilenzählung und Kurzerläu-
terungen am Außenrand. Der ausführliche Kommentar
des Brecht-Kenners Wolfgang Jeske enthält unter ande-
rem Daten zur Entstehungsgeschichte, die stoffliche Vor-
lage, Dokumente zur Rezeption, Selbstaussagen Brechts,
Literaturhinweise sowie Wort- und Sacherläuterungen.«
*lesenswert*

NF 336/2/1.02